SV

Peter Bichsel
Zur Stadt Paris

Geschichten

Suhrkamp

Erste Auflage 1993
© Suhrkamp Verlag Frankfurt am Main 1993
Alle Rechte vorbehalten
Druck: MZ-Verlagsdruckerei GmbH, Memmingen
Printed in Germany

für Nina Almayer
und Monsieur Peyrol

ZUR STADT PARIS

In Langnau im Emmental gab
es ein Warenhaus. Das hieß
Zur Stadt Paris. Ob das eine
Geschichte ist?

DER DA SITZT
IN SEINEM HAUS

Der Mann, der da sitzt in seinem Haus, ist ein Mann, der das erreicht hat, was er wollte. Er ist als kleiner Junge mal an einem Haus vorbeigegangen – vorbeigegangen und stehengeblieben – und hat sich gesagt, in so einem Haus möchte ich mal leben. Er ist einige Jahre später am »Goldenen Engel« vorbeigegangen – vorbeigegangen und stehengeblieben – und hat sich gesagt, an so einem Tisch möchte ich mal essen.

Er kannte das Wort Champagner und das Wort Kaviar und das Wort Bordeaux, bevor er auch nur eine Ahnung hatte, wie das schmeckt, aber er wußte, aufgewachsen bei einem einfachen Mann, daß nicht alle Menschen die Gelegenheit haben, im Laufe ihres Lebens ebendas zu schmecken. Also werden Leute, die das schmecken, andere Leute sein als jene, die das nicht schmecken.

Das Leben ist kurz, sagte er sich, und er wurde weit über neunzig, aber das einzige, was ihm passiert ist in seinem Leben, das ist, daß er an einem Haus vorbeigegangen ist – als Kind – und sich gesagt hat, daß er in einem solchen Haus mal leben möchte, daß er am »Goldenen Engel« vorbeigegangen ist und gewußt hat, daß er an einem solchen Tisch mal essen werde. Und wenn er das erreicht hätte, dann wäre das ein Märchen; aber er hat es erreicht, und es ist kein Märchen.

Sein Vater, ein grober Kerl und dabei feingliedrig, hager und muskulös, war ein schweigsamer Mensch, und die Familie – eine Mutter, irgendeine Mutter, ein Bruder, eine Schwester – zitterten vor ihm, weil er jähzornig war. Nun wäre es schlimm genug gewesen, wenn er seine Jähzornanfälle gehabt hätte, aber er hatte in seinem ganzen Leben keinen einzigen Anfall. Der Anfall war nur zu erwarten, und er kam nie. Das machte die Familie still, und man hatte sich über die ausbleibenden Jähzornanfälle auch nie verständigt, wobei jeder von jedem und alle von allen wußten, auf was sie zu warten hatten und was – glücklicherweise und unglücklicherweise – nie eintraf.

In jener Zeit also, als Bruder, Schwester und Mutter zu Hause warteten, ging er am »Goldenen Engel« vorbei. Und wäre sein Vater nicht Friedhofsgärtner gewesen, er hätte es wirklich geschafft. Aber inzwischen ist für den Mann, der da sitzt in seinem Haus, der »Goldene Engel« weit unter seiner Zahlungsfähigkeit und das Haus, in dem er sitzt, weit luxuriöser als jenes, in dem er wohnen wollte.

Sein Vater also war Friedhofsgärtner. Gruben für Leichen gehörten zu seinem Alltag, und Pflanzen waren nicht schön, sondern Arbeit. Nicht daß er ein Unmensch gewesen wäre, nicht daß er nicht eine Neigung zur Schönheit gehabt hätte. Er bildete sich sogar im Alter noch ein, daß seine angetraute Ehefrau einmal hätte schön gewesen sein können, warum nicht?

Das ist die ganze Geschichte, und nun sitzt er also in seinem Haus, das trotz Umbauten und Verzierungen nicht jenem gleichen will, an dem er einmal vorbeigegangen – vorbeigegangen und stehengeblieben – ist. Unnötig zu erwähnen, daß er reich geworden ist, unnötig zu erwähnen, wie und weshalb. Aber er hatte als Kind fast täglich seinen Vater auf dem Friedhof besucht, ist an den Grabsteinen vorbeigegangen, hat die Namen gelesen und die Daten, und er hat sich dabei auch etwas gedacht – irgend etwas – das hat ihm das ganze Leben versaut. Die Triefäugigkeit hält sein Arzt, ein Professor, der auch in einem Haus wohnt, für eine Bagatelle und für medikamentös leicht einstellbar.

Beginnen

Nachdem sie sich nicht erinnere, wie sie sprechen gelernt habe, könne es ja auch nicht sein, daß sie sich erinnere, wie sie gehen gelernt habe – trotzdem, seit ihr Mann sie verlassen habe, erinnere sie sich.

EINE FRAU

Die dreijährige Nora hat sich was angeschaut,
nämlich jene Bewegung des Kopfes, mit der sich
jene Frau die Haare aus dem Gesicht wirft.
Nun tut sie das auch – für ihr ganzes Leben – und
ist auch eine Frau.

ÜBERLEBEN

»Ja, schon«, sagte der Achtzigjährige anläßlich seines Geburtstages und als man ihn für sein gutes Gedächtnis lobte. »Ja, schon«, sagte er, »aber dieses dauernde Gefühl, etwas vergessen zu haben.«
Er hatte sich als Zweiundzwanzigjähriger vorgenommen, sich umzubringen.

KEHBA

Ein junger Eskimo im nördlichen Alaska findet —
ich stelle mir vor: im Schnee — einige Blätter einer
alten Illustrierten. Vom Artikel, den er liest, fehlen
Titel und Ende. Die paar Zeilen, die noch zu lesen
sind, und die beiden Bilder genügen. Es ist ein Be-
richt über Transvestiten in New York. Das überrascht ihn sehr, daß es das gibt, und er steckt die
Blätter ein. Er selbst ist ein Mann.

Erst Monate später macht er sich auf in die Stadt —
durch den Schnee und zu Fuß, stelle ich mir vor,
immer durch den Schnee bis New York.

Die Frau neben mir an der Bar ist nicht hübsch,
aber fraulich, sie ist rundlich — das ist die Hormonbehandlung, sagt sie —, hat ein breites Gesicht
und eine dunkle Stimme. Sie trägt, hier im Dun-
keln, eine billige Plastiksonnenbrille mit rotem
Gestell. Sie ist, wie alle hier um diese Zeit, betrunken, dies aber keineswegs laut und lallend wie ein
Mann, sondern müde wie eine Frau. Sie ist nicht
schön, aber sie gefällt mir mit ihren breiten Bak-

kenknochen, sie ist fast ungeschminkt. Als sie feststellt, daß sie mir gefällt, sagt sie etwas, und ich glaube vorerst, es liege an meinen schlechten Englischkenntnissen, daß ich verstehe: »Ich bin ein Mann.« Ich teile ihr mein vermeintliches Mißverständnis nicht mit, aber ich lächle bei der Vorstellung, daß ich verstanden habe, sie sei ein Mann, und sie erscheint mir jetzt noch fraulicher – sie hat sicher Kinder, und sie hat es sicher schwer, oder sie hat ein unschönes Gewerbe oder beides – wenn, dann beides. Draußen wird es schon hell, und sie wiederholt den Satz, den ich mißverstanden habe, so oft, bis ich sicher sein muß, ihn nicht mißverstanden zu haben: »Ich bin ein Mann.«
»Nein, du bist es nicht«, sage ich, »du bist eine schöne Frau«, sage ich. »Ich bin nicht schön«, sagt sie, und das sagt sie nicht so, wie eine schöne Frau das sagen würde. Sie ist nicht schön. »Aber mir gefällst du«, sage ich.
Nun steht sie auf, öffnet ihre Hosen, und diese Bewegung des Hosenöffnens ist das erste und einzig Männliche, was ich an ihr entdecke. Hier öffnet eine Frau ihre Hosen, wie das ein Mann tut. Und zwischen den Beinen hängt das, was zwischen den Beinen der Männer hängt, ganz klein und eingeschrumpft – die Hormonbehandlung, sagt sie. Und sie schließt ihre Hosen und ist wieder eine Frau.

Sie heißt Kehba Comming. Sie schreibt es mir auf einen tiefgelben Zettel, der herumliegt: »Kehba Comming, 472 west 51st street, apartment BN.«

Kehba Comming ist nicht der Name des Mannes, der tief in ihr drin ist. Es ist der Name der Frau, die mir erzählt, wie sie einst ein Mann war in Alaska. Ich stecke den tiefgelben Zettel ein. Ich bin geschmeichelt, daß sie ihn mir gibt, vielleicht mag sie mich. Ich sage, daß ich hoffe, daß wir uns wiedersehen. Ich nehme mein Herausgeld von der Bar und gehe.

Aber unter der Tür bleibe ich stehen, warte und gehe dann noch einmal zurück. »Entschuldige mich«, sage ich, »ich habe dich heute richtig ausgefragt, ich habe zu viel gefragt, ich hoffe, meine Fragen haben dich nicht gekränkt, aber ich hätte noch eine Frage.«

»Ja«, sagt sie.

»Bist du glücklich«, frage ich.

»Das fragen alle«, sagt sie, »aber es ging mir nicht darum, glücklich zu werden, es ging mir darum, eine Frau zu werden, ihr Männer versteht das nicht.« Ich wollte ihr noch etwas Gutes tun, als ich sagte, ich liebe dich, und ging.

Die Putzmacherin

Inzwischen war sie eine junge Frau geworden, und ihr fast zwanzig Jahre jüngerer Bruder liebte es, auf ihren Hüften zu reiten. Wenn sie nach Hause kam, aus der großen Stadt, wo sie studierte, rannte ihr der kleine Bruder entgegen, sprang in die Höhe und drehte sich in der Luft, so daß er auf ihre rechte Hüfte zu sitzen kam. Sie mochte das sehr und sie war gern eine Frau geworden.

Studieren allerdings war für sie eine Pflicht, sozusagen nichts anderes als eine Folge ihrer Intelligenz, oder – wie sie das nannte – eine Folge ihres schulischen Fleißes. Sie wäre viel lieber Modistin geworden, wobei man sie mit Recht in Verdacht hatte, daß ihr vor allem das deutsche Wort für Modistin so sehr gefiel – Putzmacherin.

Nun fiel sie allerdings auch als Studentin auf, nämlich durch besonderen Ehrgeiz, und nachdem alle wußten, daß sie lieber Putzmacherin geworden wäre, nannte man sie dumm. Ihr Ehrgeiz war aber nichts anderes als ihre Form von Einsamkeit. Sie sprach nie und mit niemandem von ihrem Studium, und sie hatte in ihrem privaten Leben kaum Spuren von Ehrgeiz, viel eher eine Neigung zu kindischem Blödsinn, der dann zusammen mit ihrer frühen Fraulichkeit eine Mischung ergab, die eine leichte dunkle Traurigkeit hatte.

Sie wußte ihre Freunde zu verführen, und sie kicherte, wenn es ihr gelang, und sie war stolz auf eine kleine Blinddarmnarbe, die sie sich absichtlich und wissentlich erworben hatte als Kind, weil ihr der Hausarzt so sehr gefiel und weil sie in der Klasse schon zwei Freundinnen hatte, die ihren Blinddarm weg hatten. Sie erkundigte sich also ganz genau, wo und wie das weh tut, daß man erst schreien müsse, nachdem der Arzt seine Hand von der Stelle wegnehme, und nicht etwa, wenn er drücke. Sie aber schrie nicht, sondern biß nur ein kleines bißchen auf die Zähne. Das wirke überzeugender, dachte sie.

Zudem hatte sie den Arzt in Verdacht, daß er sie durchschaut habe und das Spiel nur ihr zuliebe mitmache. Der Arzt habe sich auch gefreut über die besonders feine und ausgesprochen kleine Ausführung ihres Geschlechts – erzählte sie, – und er habe seine beiden Gehilfinnen hereingerufen, um ihnen die Muschel zwischen ihren Beinen vorzuführen.

Allerdings reichte die erste simulierte Blinddarmreizung nicht aus, und sie fragte ihre Freundinnen weiterhin vorsichtig aus – jetzt bereits als Mitverschworene, die bereits eine Reizung gehabt hatte. Sie erzählte also von ihren Schmerzen und bekam so die Schmerzen einer akuten Blinddarmentzündung mehrmals erzählt.

Nach der Operation habe der Arzt gelächelt.

Das ist eine schöne Geschichte. Aber sie ist nicht weitererzählbar, weil ihr lautloses Kichern nicht zu beschreiben ist, das ihre Erzählung jedes Mal begleitete. Ihr Trick mit dem Blinddarm machte sie früh zur Frau und zu einer wunderbaren, still vergnügten Frau, die ehrgeizig und erfolgreich war, nur um einsam bleiben zu können.

Sie machte in ihrem Leben nur einen ganz kleinen Fehler. Als es ihr nicht besonders gut ging, versuchte sie, das mit dem Blinddarm zu wiederholen. Sie verliebte sich in einen Mann, den sie nicht liebte, und sie verführte diesen Mann, der sie wohl auch nicht liebte, und es gelang ihr zum zweiten Mal, Schmerzen zu simulieren, die sie nicht hatte.

Sie lebt jetzt mit ihrer Blinddarmnarbe und ohne Blinddarm, mit drei Kindern, mit einem Mann und ohne ihn in der Nähe von Rom, nicht unglücklich darüber, Italienisch sprechen zu dürfen und italienisch leben zu dürfen, im ganzen überhaupt nicht unglücklich – hoffe ich – denn es gäbe nur einen Grund, diese Geschichte aufzuschreiben – wenn ich an ihr schuld wäre.

LIEBE

Sie hatte jahrelang einen Selbstmörder über Wasser gehalten. Nun ließen ihre Kräfte nach, und sie setzte sich und hielt sich die Ohren zu.

TRAGEN

Ihres Charmes bewußt, bewegte sie sich den ganzen Tag in ihrer Lieblingsbluse, der bläulichen mit dem Rundkragen, schlug ein Bein übers andere, den Notizblock auf dem Knie, und stellte sich vor, wie der Rundkragen über das Deux Piece in Anthrazit fällt.

Abends erschrak sie vor dem Spiegel, als sie sah, daß sie den ganzen Tag die weiße getragen hatte mit den Spitzen und dem großen Auslegekragen.

Da lachte sie.

Auch wenn es ihr kein Trost war, daß sicher niemand bemerkt hatte, daß sie sich einen ganzen Tag falsch bewegte.

Die Kunst
des Anstreichens

Ein Maler, ein Anstreicher, kam zufällig ins Atelier des Malers, des Kunstmalers Nicolas de Staël, und bemerkte, daß die Wände einen neuen Anstrich nötig hätten. Er anerbot sich, die Arbeit zu machen. De Staël, ein armer Mann damals, wollte ihm als Gegenleistung zwei Bilder schenken, doch der Anstreicher lehnte diese ab.

Jemand hat diese Geschichte kürzlich erzählt, und wenn jemand diese Geschichte erzählt, dann meint er etwas damit, aber ich weiß nicht, was. Die Geschichte wird erzählt, wenn es um Kunst geht, eine Geschichte also, die abends erzählt wird, und eine Geschichte also, die so tut, als wäre sie selbstverständlich, eine Geschichte, die vom Zuhörer nichts anderes verlangt als ein Nicken, die nichts anderes meint als die bodenlose Dummheit des Anstreichers, denn der hatte zwei Bilder abgelehnt, die schon wenige Jahre später Tausende von Franken wert waren.

Die Geschichte ist bekannt, und sie wird in Varianten erzählt von Raffael über van Gogh bis zu Picasso und Jüngeren. Es wird erzählt, daß ein

Wirt von einem – später berühmten und teuren – Maler Schadenersatz forderte für einen Tisch, auf den er gezeichnet hatte, daß ein Vermieter einen – später teuren und berühmten – Maler aufforderte, die Wand, die er bemalt hatte, neu zu streichen. Es ist die Geschichte von dem armen Mann, der eine Glaskugel findet, nach der Schlacht von Grandson zum Beispiel, nicht ahnt, daß es ein Diamant ist, seine Kinder damit spielen läßt, bis ein Kaufman des Weges kommt, die Kugel als Diamanten erkennt, einen kleinen Preis anbietet usw. (Schluß der Geschichte: »Der Diamant befindet sich heute in der Tiara des Papstes.«)

Jedenfalls meinen die Geschichten stets dasselbe: »Hätte er doch ...« oder »Wie kann man so dumm sein ...« Oder dann als Trost die Geschichte von einem armen Mädchen in Südfrankreich, das plötzlich zur Millionärin wird, weil ein Monsieur van Gogh der Großmutter – weshalb auch immer, vielleicht für eine Suppe – ein Bildchen geschenkt hatte usw.

So spielt es denn auch keine Rolle, was der Anstreicher zu de Staël gesagt hat, aber vielleicht etwa folgendes: »Ich kann diese Bilder nicht nehmen. Meine Frau würde mich auslachen; dann würde sie fragen, woher ich die Bilder habe. Ich müßte ihr sagen, daß ich dafür gearbeitet habe, und sie würde mich beschimpfen. Also ist es besser, ich nehme gar nichts für die Arbeit, da sie ja ohnehin kein Geld haben, und wir lassen es – im übrigen ist es gern geschehn.«

Mich interessiert an dieser Geschichte nur der Anstreicher. (Oder die Frage, was wäre aus der Geschichte geworden, wenn aus de Staël nichts geworden wäre, wenn er also so wenig einen Namen bekommen hätte wie der Anstreicher.)

Was hat diese Geschichte mit de Staël zu tun?

De Staël tut nichts in dieser Geschichte, er sitzt nur drin, aber ohne ihn wäre es keine, denn nur Erfolgreiche haben eine Geschichte, und daß man vom Anstreicher spricht, ist nur ein Zufall; zudem – aber das nur nebenbei, denn es spielt keine Rolle – die Geschichte ist erfunden – sie ist, selbst wenn sie sich zugetragen haben sollte, nicht wahr, und eine wichtige Geschichte ist sie nur, weil sie schuld daran ist, daß mitunter Zahnärzte sich von mittellosen Malern mit Bildern bezahlen lassen. Vielleicht kommt so auch einmal ein Zahnarzt in eine Geschichte.

Der Preis für ein Bild von de Staël ist heute hoch, und de Staël ist tot. Zwar sind auch die Preise der Anstreicher in den letzten Jahren gestiegen (und sicher die Preise der Zahnärzte) und vielleicht auch die Löhne der Anstreicher, vielleicht lebt der Anstreicher noch. Vielleicht erinnert er sich noch daran, daß er einmal einem armen Maler unentgeltlich das Atelier gestrichen hat.

Ich mag den Anstreicher, weil er den Maler nicht beschimpft hat, weil er seine Bilder nicht Schmierereien genannt hat, weil er nicht gesagt hat: »Sie würden besser einmal ihr Atelier streichen als diesen Blödsinn auf die Leinwände schmieren«, weil er nicht gesagt hat: »Sie können das wohl nicht.« Der Anstreicher hat gesagt: »Ich kann das!«

Ich weiß nicht, was mit der Geschichte gemeint war. Jemand hat sie kürzlich erzählt. Er hat sie wohl erzählt, weil gerade von Kunst oder gerade von de Staël oder gerade von Paris die Rede war, oder was weiß ich. Mir hat der Anstreicher zwar gefallen, aber Anstreicher haben keine Geschichten, und der Erzähler war ein reicher Mann, und er kennt die Preise, die heute für einen de Staël bezahlt werden, ganz abgesehen davon, daß aus dem Monsieur de Staël selbst nichts geworden ist – er hat sich umgebracht.

GERECHTIGKEIT

Der Betrunkene auf der Parkbank – der Morgen war sehr heiß – sagte: »Erinnerst du dich an jenen«, er sagte einen Namen, »der vor 25 Jahren seine Frau mit einem Beil erschlug?«
»Nein«, sagte ich.
»Das war ich«, sagte er. »Es war vor 25 Jahren«, sagte er. »Erinnerst du dich?« sagte er.
Am Nachmittag – es war heiß – quälte mich der Gedanke, daß ich ihn falsch verstanden haben könnte.

LESEBUCHGESCHICHTE

Am 24. Dezember betritt der Zeitungsverkäufer
das Comestibles-Geschäft und fragt umständlich
nach Kaviar. Er habe schon davon gehört, er wisse
auch, daß es teuer sei, aber er wisse nicht, wie es
schmecke, und er sei heute abend allein, und da
möchte er einmal Kaviar essen. Er läßt sich den
Geschmack beschreiben und kauft das Gläschen,
bezahlt sehr viel dafür und läßt sich erklären, wie
man Kaviar ißt und wie man das Gläschen öffnet
(die Kante eines Geldstücks unter den Rand des
Deckels schieben und hin und her bewegen, bis
das Geräusch von austretender, beziehungsweise
eintretender Luft hörbar wird, dann kann der
Deckel mühelos entfernt werden).

24. Dezember
25. Dezember
26. Dezember

Am 27. Dezember betritt der Zeitungsverkäufer
erneut den Laden, findet das Mädchen nicht, das
ihn bedient hat, und muß nun einem anderen
Mädchen – wiederum umständlich – erklären,
daß er am 24. Dezember Kaviar gekauft habe, daß

er sich alles habe erklären lassen, daß er auch am selben Abend in seinem Zimmer versucht habe – zwei Stunden lang – das Gläschen zu öffnen, daß es ihm aber nicht gelungen sei.

Der Inhaber des Ladens, der sich an den Kauf vom 24. Dezember erinnert und auch bereits Freunden davon erzählt hat – von der Bescheidenheit und Größe einfacher Menschen vielleicht –, der Inhaber bemüht sich selbst, dem Zeitungsverkäufer noch einmal die Technik des Öffnens zu erklären, liebevoll und unter Erwähnung des Wortes »Vakuum«, ganz einfach so die Kante einer Münze unter den Rand des Deckels schieben und hin und her bewegen. Der Zeitungsverkäufer nickt, lächelt verlegen, entschuldigt sich mehrmals für die Störung, wie er sagt, sagt dann mehrmals: »Ich muß irgend etwas falsch gemacht haben«, läßt es sich zur Sicherheit noch einmal erklären und sagt: »Ich werde es aufbewahren und es an Silvester noch einmal versuchen«, und dann – schon unter der Tür – »wenn es an Silvester auch nicht aufgehen sollte, dürfte ich es dann zurückbringen?«

Das ist die Geschichte, und erst jetzt, nachdem ich sie aufgeschrieben habe, anderthalb Jahre später, fällt mir auf, daß ich den Zeitungsverkäufer schon lange nicht mehr gesehen habe. Ich kann also dem

Leser noch einen Schluß anbieten, der ihm sicher gefallen wird:

Wochen später findet man eine verwesende Leiche im Bett (die Boulevardpresse gibt sich entsetzt und genießt ihr Mitleid), und Gerichtsmedizin und Polizei stellen anhand von sicheren Anhaltspunkten fest, daß der Tod zwischen dem 28. und 31. Dezember eingetreten sein muß. Neben dem Bett steht ein ungeöffnetes Gläschen Kaviar. Ein guter Schluß.

Aber was geschieht, wenn er weiterlebt, wenn es ihm gelingt, das Gläschen zu öffnen an Silvester, oder wenn er es zurückbringt am 3. Januar? (Denn selbstverständlich hat der Inhaber des Ladens versprochen, das Gläschen zurückzunehmen, und er hat sich auch vorgenommen, bei Gelegenheit dem Zeitungsverkäufer einen kleineren Geldbetrag in die Hand zu drücken.)

Die Geschichte ist wahr. Der Inhaber des Ladens hat sie mir am 28. Dezember erzählt, und ich habe sie oft weitererzählt. Das Ende der Geschichte ist mir nicht bekannt, ich habe den Inhaber nie nach dem Ende gefragt, vielleicht weil die Geschichte kein Ende braucht, oder weil ich mich fürchte davor.

Ich habe, wenn ich die Geschichte erzählt habe, den Zeitungsverkäufer auch beschrieben, weil meine Freunde in der Stadt ihn bestimmt schon gesehen haben. Er war lang und hager, schwarze Kleidung, Gilet, etwa siebzig Jahre alt, und er ging von Restaurant zu Restaurant, um seine Zeitungen zu verkaufen. Aber er sah nicht aus wie einer, der sonst in Wirtschaften geht, und er hatte keine Routine im Zeitungenverkaufen; er rief seine Zeitungen nicht aus, machte keine Späße, sondern ging schüchtern von Tisch zu Tisch und bedankte sich mehrmals, wenn jemand eine Zeitung kaufte. Oft drehte er sich, nachdem er vom Tisch weggegangen war, noch einmal um und bedankte sich nochmals, weil er nicht sicher war, ob er sich schon bedankt hatte, und er wünschte mehrmals einen schönen Abend.

Sein ehemaliger Lehrer wäre mit ihm zufrieden gewesen.

Sein ehemaliger Lehrer wäre mit ihm zufrieden gewesen, denn er hatte ihm beigebracht, nicht zu stören, was auch immer geschehen möge, nicht zu stören. Das hatte der Zeitungsverkäufer vor sechzig Jahren gelernt. Jetzt stört er nicht, jetzt fällt er nicht auf, und vielleicht hätte er das Gläschen Kaviar doch besser gestohlen. Damit hätte er endlich einmal gestört.

Sein Lehrer hatte ihm von der Größe der Armut und der Größe der Demut erzählt, und deshalb ist das nicht die Geschichte vom Zeitungsverkäufer, sondern die Geschichte vom ehemaligen Lehrer, der mit seinem Schüler zufrieden gewesen wäre.

Der Lehrer lebt nicht mehr, und der Zeitungsverkäufer ist tot. Ich kenne den Namen des Zeitungsverkäufers nicht. Ich kenne nur den Namen der Zeitung. Es ist die Zeitung, die der Inhaber des Ladens täglich liest. Selbstverständlich ist der Ladeninhaber unschuldig, selbstverständlich auch der ehemalige Lehrer, der mit seinem ehemaligen Schüler zufrieden gewesen wäre.

So bleiben als mögliche Schuldige nur noch ich und du, und vielleicht die Zeitung, ganz abgesehen davon, daß er das Gläschen Kaviar doch besser gestohlen hätte.

CHARAKTER

Ihre Frisur hat diese burschikose Zufälligkeit, pflegeleicht und achtlos hingeworfen, aber doch geschnitten von einem teuren italienischen Friseur.
Sie spricht auch so. Sie bewegt sich auch so. Nun höre ich, wie jemand sagt, wo ihre langen Haare geblieben seien, und ich frage mich, ob sie sich mit den langen Haaren anders bewegt hat.

Ich telefoniere mit meiner Enkelin und sage, daß ich sie wohl kaum mehr erkennen werde, wenn ich sie wiedersehe, weil sie inzwischen doch sehr groß geworden sei. »Doch«, sagt sie, »du wirst mich erkennen an meinen langen blonden Haaren.«

Eine lange Geschichte

Die Armen gehen für ihre Scheidungen ab und zu ins Gefängnis, weil ihre Alimente, die sie zu bezahlen hätten – richtigerweise und gerechterweise –, hoch sind und in einem anderen Verhältnis zu ihrem Einkommen stehen als die Alimente der Reichen, die sich nicht nur Alimente, sondern auch noch anderes leisten können – eine zweite Frau, ein zweites Auto, ein zweites Haus.

Dann kann man auch fliegen lernen und ein Flugzeug kaufen. Dann kann man damit auch fliegen und braucht Fluggäste, die sich darüber freuen, einmal fliegen zu können.

Es gibt aber in dieser Gegend viele Reiche mit Flugzeugen, und so kommt jeder Arme doch mal dazu, mit einem Reichen fliegen zu können, und jene, die zum ersten Mal fliegen, tief einatmen, sich am Sitz festhalten, vorsichtig nach unten schauen, nach und nach begeistert sind und sich freuen – eben jene sind seltener geworden in unserer Gegend, wo jene, die Flugzeuge besitzen, nicht mehr so selten sind.

Wer auch immer reich wird, er wird es zu spät.

Das ist die lange Einleitung zu Franz Albert Ebenöthers Geschichte, und das war sie denn auch schon.

VOR DEM KRIEG

Als er ankam mit seinem kleinen schweinsledernen Koffer – Anzug, Krawatte –, sagte die Frau an der Reception, der Chef sei heute nicht hier, denn sie hielt ihn für einen Vertreter einer Firma für Hotelbedarf – Tischtücher, Papierservietten oder Bouillon. Dies, weil seine Freundlichkeit so etwas Konfektioniertes hatte wie ein Maßanzug.

Er bleibe nur bis morgen, sagte er, und er möchte das Zimmer im voraus bezahlen. Ob er ein Auto mithabe, fragte man ihn, und er verneinte, kam aber später noch mal runter und fragte die Frau an der Reception, wie der Ort hier heiße, und als man ihm Auskunft gab, fragte er: »Ist das im Kanton St. Gallen?«

Er fahre morgen nach Zürich, sagte er, seine Frau sei schon dort und sein ältester Sohn sei Arzt.

Seine Frau heißt Lilian. Er heiratete sie nach dem Krieg. Vor fast fünfzig Jahren ging der Krieg, den er meinte, zu Ende, aber alles, was er erzählte, geschah entweder vor dem Krieg oder nach dem Krieg. Nach dem Krieg war er zu alt.

Nein, er kam nie singend und johlend nach Hause. Er trug keinen Blumenstrauß mit sich, den er schon nachmittags gekauft und auf den Schultern getragen hätte wie die Radrennfahrer die Gladiolen. Nein, er rief nicht schon von der Straßenecke: Lilian, ich liebe dich. Und eigentlich hatte ihn nur Lilian im Verdacht, daß er Alkoholiker sei, und Lilian zuliebe schlich er sich nach Hause, wenn er betrunken war, ging dabei aufrecht, und er grüßte freundlich und ohne zu lallen, wenn jemand zu grüßen war.

Als er Lilian heiratete, nach dem Krieg, hatte sie noch nie ein Fußballspiel gesehen und später auch nicht. Am Fernsehen sah er sich das ab und zu noch an, aber das war lange nach dem Krieg, das Fernsehen, und bis es kam, war er nie mehr beim Fußball.

Er besaß auch nie ein Motorrad. Später entschied er sich dafür, ungern Auto zu fahren, und überließ das Steuer seiner Frau. Sie allerdings hatte keinen Spaß mit Autos und benützte es nur, um ihre Mutter zu besuchen und, als diese starb, ihre Tante, dann die Schwester und später auch die Töchter, selbstverständlich in seiner Begleitung. Und einmal im Jahr fuhren sie drei Wochen nach Silvaplana. Vor dem Krieg wäre ein Motorrad gar nicht denkbar gewesen. Nach dem Krieg war er zu alt.

Albert, sein Bruder aus Zürich, kam nach dem Krieg ab und zu zu Besuch mit einer schweren Motosaccoche mit Seitenwagen und mit seiner blonden Frau. Sie mühten sich im Entree aus ihren schweren Lederjacken und hängten sie an die Garderobe. Schon das mochte Lilian nicht.

In Silvaplana sagte er trotz allem Jahr für Jahr, daß es keine schönere Gegend gebe als Silvaplana, und er sagte das auch nachmittags in dem kleinen Tearoom, wohin er mit Lilian zu Kuchen und Kaffee ging, und die Einheimischen bestätigten ihn in seinem Urteil. Es hatte sich im Kaffee auch rumgesprochen, daß Lilians Mann ein ehemaliger Fußballer sei.

Interessiert hätte es ihn schon. Sein Bruder, nicht der aus Zürich, er wohnt immer noch in Bettlach, war schon in seiner Jugend Mitglied des Ornithologischen Vereins. Aber damals hatte der Mann von Lilian seine Lehre als Bauschlosser erfolgreich abgeschlossen und die Aufnahmeprüfung ins Technikum bestanden. Nach dem Krieg war er bereits Techniker. Ein paar Vögel kannte er schon, und auf den sonntäglichen Spaziergängen waren es nicht die Kinder, die fragten: Was ist das für ein Vogel, sondern er. Aber Mitglied des Ornithologischen Vereins war er nie, das war sein Bruder Otto in Bettlach, der, als sie noch beide jung waren, jedem sagte, er sei der Bruder des Fußballers. Das war vor dem Krieg.

Eine Hobelbank hatte er sich dann doch gekauft, den Keller ausgebaut, Heizung, Teppich, ein Regal für die Werkzeuge, und Lilian unterstützte ihn dabei tatkräftig und ermunterte ihn, kleine Holzschachteln herzustellen – so ganz kleine –, denn sie besuchte damals in der Volkshochschule einen Kurs für Bauernmalerei, und sie hatte ihn schon damals im Verdacht, daß er einer sein könnte, der später in Wirtschaften gehen würde, und so war ihr die Anschaffung einer Hobelbank recht. Später aber besuchte sie dann auch den Kurs für Holzarbeiten, und er hatte viel zu tun im Geschäft, sie hatten ihm wieder einen Jüngeren vor die Nase gesetzt.

Nein, Weibergeschichten hatte er nie. Er hat seine Familie zusammengehalten, der Älteste wurde Arzt. Es war hart für Lilian, als der Älteste sich entschloß, den Beruf des Arztes nicht auszuüben und Journalist zu werden, aber Offizier im Militär war er schon. Früher kam er noch ab und zu in Uniform nach Hause.

Aber wo sind wir stehengeblieben?

Er steht also da an der Reception und fragt nach dem Namen des Ortes, fragt, ob das im Kanton St. Gallen sei, sagt, daß sein ältester Sohn Arzt sei, daß Lilian ihn in Zürich erwarte, und geht wieder auf sein Zimmer.

Dort könnte er morgen tot aufgefunden werden – Herzschlag. Oder er könnte nun jeden Morgen zur Reception kommen, sagen, daß er doch noch einen weiteren Tag bleiben möchte und daß er im voraus bezahlen wolle – Tag für Tag, Woche für Woche. Und er würde nachmittags aus dem Haus gehen, ins Nachbardorf spazieren, sich dort in die kleine Beiz setzen und nachts mit dem Taxi zurückkommen.

Er könnte im Nachbardorf – inzwischen am Stammtisch – erzählen, daß vor dem Krieg Fußball noch etwas ganz anderes gewesen sei, daß noch die ganze Mannschaft mit den Fahrrädern zu den Spielen gefahren sei, die Schuhe selbst gekauft und die Trikots selbst gewaschen habe. Daß aus ihm ohne Fußball nichts geworden wäre, daß er Disziplin gelernt und sinnvolle Freizeit verbracht habe, und die anderen am Stammtisch würden nicken. Und vielleicht würde einer dann nach Wochen sagen: »Ich kenne Sie doch. Sie sind doch der...« Und er würde nur sagen: »Das spielt keine Rolle.« Und später müßte er dann nur – endlich, nach Wochen – seinen Namen erwähnen, Rämisegger, und alle hätten den Namen schon gehört.

Ja, man kannte ihn damals, vor dem Krieg, zu Hause, und er war auch schon aufgeboten für Trainings mit der Nationalmannschaft. Aber dann kam der Krieg, und nach dem Krieg war er zu alt.

Aber wo sind wir stehengeblieben?

Lassen wir es. Es lohnt sich nicht einmal, die Landkarte aufzufalten und einen Ort im Kanton St. Gallen zu suchen. Die Geschichte ist erfunden. Und ich erinnere mich nur, daß ein älterer Mann mich mal auf der Straße angesprochen hat, gesagt hat, daß er ein bekannter Fußballer gewesen sei – vor dem Krieg – und daß er viel zu erzählen habe und daß man das alles einmal aufschreiben müsse. Ich habe es versucht.

DIE KLEIDER DER WITWEN

Hätte sie ihn kremieren lassen, dann wäre er in ein Urnengrab gekommen, nun aber müsse sie auch noch das Grab bezahlen, das hätte sie nicht gewußt, erzählt die eine.

Sie trägt einen roten – irgendein Rot – Pullover, selbstgestrickt mit kompliziertem Muster, und die andere trägt – hat an – eine weißgraue Nylonbluse mit grauweißem Muster, in der Meinung, es sei dezent, und auf die Frage, wie es ihr gehe, antwortet sie, sie dürfe nicht klagen.

Die dritte hat einen Rock oder ein Kleid oder so etwas.

An die vierte erinnere ich mich nicht mehr.

Und die fünfte fragt, wieviel sie denn bezahlt habe, die zweite, für die Beerdigung ihres Mannes.

Sie hatten alle einmal einen Mann.

EINER AUS TAUSENDUNDEINER NACHT

Einmal sagte er – ganz leise vor sich hin – »es war falsch«, aber sonst sagte er selten etwas. Er hatte sich angewöhnt, glücklich hinter einem Bier zu sitzen, hinter einem großen Bier, denn hinter den kleinen kann man nicht sitzen, die Ellbogen weit ausspreizen und durch das Glas schauen, das Bier langsam abstehen lassen, damit es ein großes Bier bleibt, hinter dem man sitzen kann – im Glück, wie es schien, wie wenn er sein Bier gegen eine Gans eingetauscht hätte. Daß er große fleischige Ohren hatte, das wäre noch nachzutragen, und daß er sanft war, sanft in seinem Fleisch, das auch ein großes Fleisch war, ähnlich seinem großen Bier.

Man machte seine Witze mit ihm. Man mußte nur sein Bier erwähnen, und schon glaubte er, sich wehren zu müssen, und er dachte lange darüber nach und sagte dann sein »Nein« oder sein »Ja«, aber viel wichtiger war es ihm, die Leute zu grüßen, die hereinkamen und hinausgingen – aber er wehrte sich schon.

Er hatte einen Namen, den Könige getragen hatten, Könige mit Löwenherzen, und man hatte ihn besänftigt, auch wenn es unvorstellbar war, daß er einmal in seiner Jugend unsanft war, aber vorstellbar war, daß er seine Jugend unter weißen Schürzen verbracht hatte, in jener Sanftmut, die im Alter nur noch durch die Plumpheit eines großen Bieres erahnbar gemacht werden kann.

So saß er also da – jahrelang – und nur einmal hob er seinen Kopf und sagte: »Es war falsch, es war falsch, sie hätten mich nicht operieren sollen.«

SEHNSUCHT

In Langnau im Emmental gab es ein Warenhaus.
Das hieß Zur Stadt Paris. Ob das eine Geschichte
ist?

WIE EIN ROMAN ENTSTEHT

Der junge Mann, von dem hier länger die Rede
sein wird, war ein Autor – sonst fast nichts, nur
ein Autor –, dazu war er noch klein und dick, und
er war in der Schule ein schlechter Turner. Das
war denn auch das Thema seines Romans, der ihm
Anerkennung und Ehre einbrachte. Seither lebte
er in seinem Zimmer wie in einem Hotelzimmer,
stets erwartend, daß es klopfen würde, daß er die
Tür öffnen würde, ein Page mit einem Zettel vor
der Tür stehen würde oder gar das irgendeine
Mädchen selbst.
Es klopfte also, und vor der Tür stand einer, der
vorerst nur sagte, und ohne zu grüßen: »Ich lese
keine Bücher.«
»Ja, und«, sagte der Autor.
»Und«, sagte der Fremde, »und ich will in ihren
Roman.« Da schlug der kleine dicke Autor die Tür
zu, ging zu seinem Tisch und begann zu schreiben.
Er schrieb: »Der junge Mann, von dem hier länger
die Rede sein wird, war ein Autor – sonst fast
nichts, nur ein Autor –, dazu war er noch klein
und dick, und er war in der Schule ein schlechter
Turner ...«, und das hätte nun so weitergehen

können wie in der Geschichte mit dem hohlen Zahn, wenn nicht der andere die Tür eingeschlagen und gesagt hätte: »Scheißkerl.«

Da fragte sich der Autor, ob er sich so etwas bieten lassen müsse, und während er sich das fragte, fügte der andere noch an: »Sie schreiben immer nur, daß Sie klein und dick sind und ein schlechter Turner. In Wirklichkeit aber sind Sie klein und dick und ein schlechter Turner.«

Das machte den Autor so wütend, daß er das Streichquartett 131 von Ludwig van Beethoven auflegte, in einer Aufnahme mit dem Melos Quartett, und sie hörten sich das gemeinsam an und rauchten je eine Zigarette. Währenddem ging die Sonne unter. Und weil wir später nicht mehr dazu kommen werden, es zu erwähnen, sei schon jetzt erwähnt, daß später der Mond vor dem Fenster stehen wird. Aber wir müssen uns beeilen, die Geschichte ist ohnehin schon viel zu lang, das Streichquartett 131 von Beethoven – ich lasse »Ludwig van« und »Melos Quartett« mit Absicht weg, um Zeit zu sparen –, das Streichquartett 131 von Beethoven allein schon dauert 37 Minuten und 54 Sekunden.

So lange nun wollen wir schweigend verharren, bis uns das Streichquartett wieder eingeholt hat.

Da haute dieser unangenehme Fremde mit der

Faust auf den Plattenspieler und sagte: »Ich halte das nicht aus. Sie sind nicht nur klein und dick, Sie sind auch langweilig, ich gehe jetzt wieder.«

»Sie haben sich wohl gedacht, mein lieber Freund, es sei schwer, in einen Roman zu kommen, aber es ist sehr leicht. Nur kommt keiner mehr raus, Sie sind jetzt drin«, sagte der Autor, »und wenn Sie rausgehn, dann ist ihr Rausgehn auch drin. Zudem kann ich Sie rausgehen lassen, wann ich will, aber im Augenblick paßt mir das gar nicht, weil der Mond noch nicht vor dem Fenster steht und weil wir noch den Schnee zu beschreiben haben, der unter Ihren Schuhen zu klirren haben wird, damit wir auch ein bißchen Weihnachten in den Roman reinkriegen. Auch sind Sie, mein lieber Freund, schon länger hier, als diese Geschichte dauert. Sie muß kurz sein, verstehen Sie, sie muß kurz sein, fürs Fernsehen muß alles kurz sein, und wir vertrödeln unsere Zeit mit so langen Dingen wie ›Ludwig van Beethoven‹, ›Streichquartetten‹, ›Sonnenunter-gängen‹. Wir müssen es in dieser kurzen Zeit ein bißchen schneien lassen, damit sich der Mond in dem Schnee, der unter Ihren Füßen knirscht – klir-ren hat zwei Silben, knirscht hat nur eine Silbe. Nein, es geht, klirrt hat auch nur eine Silbe – also dann: ›Unter Ihren Füßen klirrt‹. Ganzer Satz! ›Damit sich der Mond in dem Schnee, der unter Ihren Füßen klirrt, spiegeln kann.‹

Ach, hätten wir doch nur diese Minuten schweigend verharrt, bis uns das Streichquartett 131 von Ludwig van Beethoven in der Aufnahme mit dem Melos Quartett auch nur ein bißchen eingeholt hätte.

Ein bißchen Langeweile, wissen Sie, mein Freund, ein bißchen mehr Langeweile.

Wenn Sie in meinen Roman wollen, dann setzen Sie sich und haben Sie dreihundert Seiten lang Geduld. Noch nicht mal den halben ersten Satz von Beethoven haben wir uns angehört.«

DIE HEMDEN

»Wenn du mal stirbst«, sagt sie, »werde ich deine Hemden nicht weggeben.« Seine Hemden sind swissairblau.

»Ich mag es, deine Hemden zu bügeln«, sagt sie.

»Ich möchte vor dir sterben«, sagt sie.

Swissairblau war damals eine Farbe.

Das wusste ich nicht

Homer habe ihr Vater am liebsten in der Voß-schen Übersetzung gelesen, ab und zu auch, aber immer seltener, mit dem griechischen Original verglichen, klassische und romantische Musik gehört, aber immer wieder Schumann allen anderen vorgezogen, selbst in seiner Jugend Saxophon gespielt, später am Sonntag nach dem Essen eine jener langen schlanken Zigarren geraucht und dabei keineswegs so ausgesehen, wie jene ihn gesehen haben mögen, die ihn flüchtig gesehen haben, erzählte sie.

Ihr Vater sei durch und durch nicht der Typ des Technikers, ein schöpferischer Mensch eigentlich, der gerne Pianist geworden wäre, ein introvertierter Mensch, ein stiller, ein schweigsamer, sagte sie nun nach dem zweiten Glas, das ich ihr ohne Zögern einschenkte, nachdem sie das erste Glas so getrunken hatte, als wäre sie das Trinken nicht gewohnt, in kleinen Schlucken wie eine Dame, die das Genießen von Wein mit einem Vater gelernt hatte, der sonntags nach dem Essen seine lange schlanke Zigarre in ganz kleinen Zügen genoß.

Sie habe einen Vater gehabt, er lebe noch, der liebenswert gewesen sei.

Ich habe einen Vater gehabt, der liebenswert gewesen ist, sagte sie nun etwas zu laut und nach dem vierten Glas, und ich wußte nicht, ob mein aufkommender Ärger seinen Grund in ihrer zunehmenden Betrunkenheit hatte oder in meiner.

Ihre Mutter hätte ihren Vater nicht verstanden, nicht gestritten mit ihm, seine Liebe zu Homer nicht geteilt, sich nicht einmal über den Zigarrenrauch beschwert, aber durchaus in diesem gepflegten Haus gelebt und es auch durchaus gepflegt. Es sei ihr Vater gewesen, der sie in ihrer Absicht, Altphilologie zu studieren, unterstützt habe, und es sei ihr Vater gewesen, der selbstverständliches Verständnis gezeigt hätte, als sie damit gescheitert war.

Ihr Vater habe kein Griechisch gekonnt, auch nie Homer gelesen, sich nicht um klassische Musik gekümmert, auch nicht um Schumann, hätte aber zu all dem einen Zugang gehabt, habe auch davon erzählt, daß er gerne Saxophon gespielt hätte, Pianist geworden wäre, hätte er nicht schon als Kind einen Meccanobaukasten gehabt, Radiodetektoren gebaut, viel Freude am Schachspiel und als einziger in der Klasse Spaß an Mathematik gehabt. Sie hätten zu Hause nur Streit gehabt, und die Mutter hätte den Streit nur mit Tränen zu besänftigen gewußt. Du mußt wissen, daß mein Vater mich geliebt hat.

Ich werde mich umbringen, sagte sie jetzt. Das war zu erwarten.

Mein Vater ist ein stiller Mensch, schrie sie, nicht einmal Soldat war er, nicht einmal Mitglied einer Partei.

Sie habe sich mit ihrem Vater nie verstanden, weinte sie. Was ich gegen ihren Vater hätte. Was hast du gegen meinen Vater? Er ist mein Vater, mußt du wissen. Wir hatten nur Streit, mußt du wissen.

Ich kenne deinen Vater nicht, sagte ich.
Er ist Entwicklungsingenieur, sagte sie.
Das wußte ich nicht, sagte ich.

EITELKEIT

Ich habe noch nie eine so schöne Leichenrede gehört, sagte die Dame zum Redner, und der Redner
bedankte sich für das Kompliment.

Ich hätte nur noch eine Frage, sagte die Dame, haben Sie ihn nun gehaßt oder geliebt?

PROFESSION

Nach getaner Arbeit und angesichts der Erbärm-
lichkeit ihres Kunden sagte die Dirne einmal, weil
sie glaubte, etwas sagen zu müssen: »Mir hat es
auch gefallen«, und sie sagt es seitdem zu allen.

Mit »Guten Mut!« und einem kräftigen Hand-
schlag verabschiedet sich der Chirurg nach der
ersten Besprechung des Befunds von einzelnen
Patienten – täglich mehrmals und seit dreißig
Jahren.

UND SCHON
NUR DIE WAHRHEIT

Rösi ist schon lange nicht mehr. Aber sie hatte –
als sie noch war – eine Geschichte zu erzählen, die
wir nicht verstehen wollten.

Wenn Rösi zu erzählen begann, flüchteten die Gäste, denn eigentlich hatte sie nichts zu erzählen. Sie
hatte nur zu reden, und sie rentierte dem Wirt,
weil die älteren Bauern, die zum Markt kamen,
sich noch an Rösi erinnerten und sie besuchten.
Sie hatte auch einmal einen Mann, und sie hatte es
nicht leicht damals, und jedenfalls lachte sie gern,
aber sie lachte schallend. Und nur einmal blieben
wir sitzen, als sie zu erzählen begann, nicht eigentlich um ihr zuzuhören, nur um noch sitzen bleiben
zu können nach Mitternacht, denn die Kneipe
hatte schon geschlossen.

Es muß von Gespenstern die Rede gewesen sein,
von Gefahren und nächtlichen Überfällen, und
Rösi begann ihre Geschichte damit, daß sie sagte,
daß wir ja alle keine Ahnung hätten, wie das war
während des Krieges und während der Verdunkelung, und wie sie sich oft gefürchtet habe, nachts
auf dem Heimweg nach Feierabend. So sei sie

denn am 16. März – also eigentlich am siebzehn-
ten, denn es war schon nach Mitternacht gewesen
– am 16. März 1942 also – sie erinnere sich genau,
denn der 19. März sei ihr Geburtstag – nein, das
sei noch nicht im Widder, sagten wir, und sie begann zu streiten und erzählte dann von ihrer
Tochter, die im Stier geboren sei, und wir baten sie
eindringlich, doch mit ihrer Geschichte fortzufah-
ren.

Am 16. März 1942 also räumte sie noch auf,
spülte die Gläser, stellte die Stühle auf die Tische,
leerte die Aschenbecher, wischte sie aus mit dem
Pinsel, verabschiedete sich vom Wirt – der war in
Uniform und auf Urlaub, was selten war, weil er
bei den Fliegern war, und betrunken war er und
wollte zu Bett –, und sie räumte dann also noch
auf, stellte die Stühle auf die Tische, leerte die
Aschenbecher, spülte die Gläser.

Und die Geschichte, fragten wir, die Geschichte?

Sie löschte also endlich das Licht – wir saßen
schon fast eine Stunde da und hörten ihr zu –,
schloß endlich die Tür, zweimal, und das obere
Schloß auch, stieg endlich auf ihr Fahrrad und
fuhr los, sie wohnte damals noch in Derendingen.

Die Fahrräder hatten damals, es war Verdunkelung, blaues Papier vorn in der Lampe, man konnte dazu auch gebrauchtes Kohlepapier verwenden, so war das damals, und ihr habt keine Ahnung, und sie fuhr wie immer Richtung Bahnhof, also die Schaalgasse runter, links in die Fischergasse, rechts über die Kreuzackerbrücke, und kurz vor dem Bahnhof bemerkte sie, wie ihr einer nachfuhr. Sie fuhr also langsamer, um jenem die Gelegenheit zu geben, sie zu überholen, und als jener auch langsamer fuhr, fuhr sie schneller, und jener – sie wagte nicht zurückzuschauen, und es war ja Verdunkelung – fuhr auch schneller. Sie fuhr also dann am Zeughaus vorbei, an den Geleisen entlang Richtung Zuchwil, und wir versuchten immer wieder mit »Ja, ja« die Geschichte voranzutreiben, und Rösi beklagte sich über die Unterbrechungen und sagte, es war bereits morgens um zwei, daß sie so mit ihrer Geschichte nie zu Ende käme.

Jedenfalls, und die Geschichte dauerte, bog sie dann in Derendingen von der Hauptstraße links ab in ihre Straße, wo sie wohnte, damals im Krieg, und der andere fuhr geradeaus Richtung Kriegstetten. Und wir warteten und schauten sie an, und sie sagte: »Ja, genau so war es.«

»Das ist doch keine Geschichte«, sagten wir.

»Es ist die Wahrheit, nichts als die Wahrheit«, sagte Rösi. Und wir sagten nichts, und sie wurde böse und verdächtigte uns, daß wir ihr nicht glaubten. »Ihr könnt alle mitkommen und euch selber überzeugen«, sagte Rösi, »das Fahrrad steht noch immer in der Waschküche.«

So bitte ich denn darum, an Rösi zu denken, wenn Sie irgendwo in einem Keller ein altes Fahrrad stehen sehen sollten, und dabei nicht anzunehmen, daß es Rösi nicht schwer hatte.

Im Spiegel

Er hatte sich schon gestritten mit seinem Vater. Er hatte schon andere Musik gern. Es waren schon andere Zeiten.

Um so mehr erschrak er darüber, daß es ihn entsetzte, daß er im Spiegel mit zunehmendem Alter seinem Vater glich, dem verstorbenen.

Dieser Mund, diese Nase.

Nur die Narbe am Kinn hatte er sich selbst erworben.

An Herrn K.

Du könntest das besser, sagte der Meister zum
Schüler, als er sah, daß dem Schüler etwas gelang,
was er – der Schüler – noch gar nicht konnte.

Nun könnte man annehmen, daß der Meister im
Unrecht war.

GEORDNETE VERHÄLTNISSE

Er hatte irgendwie eine Neigung zur Friedfertig-
keit, die nicht eine Folge seiner Schwerhörigkeit
war – einer angeborenen –, sondern eher die Folge
davon, daß er seinem Vater glich, der unter der
Knute seiner Frau lebte, sagte man.
Immerhin hatte es der Vater zu einer Maschinenfabrik gebracht, was ihm niemand zugetraut
hatte, weil er friedfertig war und wortkarg. Also
erzählte man, daß er unter der Knute seiner Frau
lebte, weil seine Frau etwas lauter – nur etwas –
auftrat.
Ob er nun seiner Mutter glich oder seinem Vater,
das spielte nun gar keine Rolle. In Wirklichkeit
glich er seiner Mutter, die eine Neigung zur
Schwermut hatte. Aber wer seinen Vater kannte,
sagte, er gleiche seinem Vater.
Aber schließlich erbte er eine Maschinenfabrik,
zusammen mit seinem Bruder, der auch ein netter
Mensch war, aber einem Erben einer Maschinenfabrik doch eher glich, wenn er auch seinem Vater
weniger glich.
Das wird nicht gut ausgehen – der Leser ahnt es –,
aber das wäre schon das Ende der Geschichte.
Das wäre das Ende der Geschichte, wäre nicht der

erste Bruder stets dem Gespött ausgesetzt gewesen, weil er den Eindruck machte, er suche eine Frau, und alle mit Schadenfreude feststellten, wie falsch er das anstellte.

Als er dann eine Frau kriegte – eine Frau bekam, wie die Leute sagten, weil niemand ihm zutraute, daß er lieben und geliebt werden könnte –, da fand man das auch lustig und erzählte sich Späße darüber.

Als sich dann herausstellte, daß die Frau schön, freundlich, zufrieden und sehr tüchtig war, hatte endlich alles seine Ordnung.

Und als sie starb – sehr jung und plötzlich –, äußerten alle ihr Mitleid mit ihm, und alles hatte endlich wieder seine Ordnung.

ROSEN

Der Verteidiger würde sie später dazu überredet haben, die Tat als spontan verübt darzustellen. Sie war sanft und klein und kam nicht auf den Gedanken Rattengift. So entschloß sie sich schon im Juli, ihm am 17. September, abends zwischen sechs und sieben, wenn er sich bückte über die Rosen, eine Schaufel über den Schädel zu ziehen – außer es würde regnen.

Es regnete nicht.

Aber als sie die Schaufel in ihren Händen hatte, fiel ihr ein, daß dies doch eigenartig klingen würde – die Schaufel über den Schädel ziehen – und daß man dies in unserer Gegend anders formulieren würde. So hatte sie kein Richter zu fragen, wie sie dazu gekommen war, ihm eine Schaufel über den Schädel zu ziehen.

Aber geplant war es schon.

Hinterher

Hinterher fiel mir ein, daß er unfreundlich war,
daß er etwas in der Hand hielt, ein Messer viel-
leicht, und daß ich zitterte am ganzen Leib.
Hinterher fiel mir ein, daß er gesagt haben könnte:
»Ich spiele nicht!«
Hinterher fiel mir ein, daß wir uns wohl nicht ver-
standen haben.
Hinterher fiel mir ein, daß ich noch lebe.
Jetzt möchte ich wissen, wie es ihm geht.

Die Geschichte von Erwin

Geschichten erzählten sie über andere, nicht über Erwin. Nicht etwa, weil es über Erwin keine Geschichten zu erzählen gegeben hätte, im Gegenteil, Erwin war zwar jung, aber er hatte bereits eine Biographie, säuberlich archiviert bei der Vormundschaftsbehörde.

Nun sind aber die Geschichten, die man über andere erzählt, keine Geschichten, nur kleine Auffälligkeiten, wie etwa, daß einer einmal katzbesoffen war, daß einer einmal die Serviertochter, daß einer einmal die Polizei.

Wenn dann Erwin erzählte, daß er auch einmal seine Mütze habe liegen lassen in der Wirtschaft und daß ein anderer sie dann an sich genommen habe und in einer anderen Wirtschaft habe liegenlassen, und da habe er seine Mütze dann wieder gesehen – dann hörte ihm keiner zu, weil hier die Geschichten nur heißen: »Weißt du noch, wie Karl besoffen war.«

Und dann versuchte es Erwin – indem er vorerst kurz die Augen schloß, eine von einer freundlichen Erzieherin erlernte Technik, das Stottern zu unterdrücken – mit: »In Basel waren wir auch einmal alle besoffen«, und er staunte, daß das nun

65

nicht dasselbe sein sollte wie das, was die anderen über andere erzählten.

Er hatte die Angewohnheit, nachts das Kopfkissen nicht unter dem Kopf zu haben, sondern den Kopf unter das Kopfkissen zu stecken, angewöhnt in einem Kinderheim, an das er – leider – keine schlechten Erinnerungen hatte, weil die Erzieherinnen nett waren und verständig und weil Erwin auch unter anderen Umständen keine schlechten Erinnerungen gehabt hätte und weil ihm, über den man keine Geschichten erzählte, nichts zur Geschichte geworden war.

So kam er denn ab und zu zurück nach Schönenwald, von dem er immer wieder erzählte in Basel, wie wenn er dort eine Geschichte gehabt hätte, und brachte Blumen mit für die Serviererin im »Frohsinn«, die immer wieder lachend sagte: »Mein Bräutigam kommt«, und er nahm das ganz und gar auch als Scherz. Er wurde immerhin wahrgenommen, und die Neckereien der anderen Gäste – die Anzüglichkeiten vor allem – machten immerhin den Eindruck, als gäbe es oder hätte es gegeben eine Geschichte zwischen ihm und Violetta, und sie strich ihm übers Haar und sagte: »Mein Bräutigam wird mir einen Drink bezahlen«, und er bezahlte den Drink und versuchte, die Gesten jener nachzuahmen, die Drinks bezahlen. Er war jetzt auch – als Besucher von Schönenwald – viel gepflegter gekleidet, mit Anzug und Krawatte, als damals, als er noch hier war.

Eines Tages war er da, damals, und er wäre wohl niemandem aufgefallen, wäre er nicht gleich Mitglied der Feuerwehr geworden, und die Feuerwehr hatte ihren Stammtisch im »Bären«, und Schönenwalds Feuerwehr war bekannt. Man wußte von nationalen und internationalen Meisterschaften, und am Stammtisch im »Bären« war nur die Elite, nämlich das Pikett, genehm; und zu eben diesem Pikett – das, wenn einer von ihnen heiratete, vor der Kirche Spalier stand mit Wendrohren, von denen selbstverständlich jeder wußte, daß sie nicht Wendrohre, sondern Strahlrohre heißen –, zu eben diesem Pikett gehörte Erwin, und Erwin dachte ans Heiraten. Er konnte jetzt endlich brauchen, was er gelernt hatte, was er gelernt hatte im Kinderheim. Er konnte sich einpassen in eine Gemeinschaft und zusammensitzen mit einem Personalchef – Hans –, mit einem Schulhausabwart – Armin –, mit einem juristischen Sekretär – Kurt – und mit Noldi, Ernst, Walter, und er durfte mit ihnen gleicher Meinung sein über Ausländer, Asylanten, Europa, Lotto und Fußballmeisterschaften, und er war gleicher Meinung wie der Personalchef, wie Hans, und er wäre schon bald Gefreiter geworden, wenn nicht durch Zufall festgestellt worden wäre, daß Erwin dumm war. Nun galt er als Betrüger und Hochstapler. Und die Leute am Stammtisch im »Bären« – Hans und Armin und Noldi – waren beleidigt, mit so einem gleicher Meinung gewesen zu sein, und sie musterten ihn aus ohne Abschied, und der Vormund von Erwin wurde gebeten, ihm doch eine Stelle zu suchen anderswo, und er fand für ihn eine Stelle in Basel.

Dort war er ein Niemand – wieder –, aber er ist jetzt doch, wenn er ab und zu das »Frohsinn« in Schönenwald besucht, immerhin einer aus Basel, einer mit Anzug und Krawatte, und Violetta streichelt ihm übers Haar und sagt, sie brauche unbedingt einen seidenen Unterrock, im Geschäft wüßten sie, welchen sie wolle, und er rennt los und kauft ihn, und er ist dem Spott der Leute ausgesetzt, wie er damit zurückkommt, und es war sein letztes Geld, und er weint, und es ist keine Geschichte, und es wird nie eine werden – nie und nirgends – und Erwin ist zweiunddreißig, und das wird noch lange dauern.

ZEIT

Der Lebenslängliche, befragt, wie er das aushalte oder mache all diese Jahre im Gefängnis, antwortet: »Weißt du, ich sage mir immer, diese Zeit, die ich hier verbringe, müßte ich draußen auch verbringen.«

Eine Postkarte aus den Pyrenäen an Ernest Hemingway

»Madame«, rief er, »nous venons de manger.« Das Haus stand oben am Hang, und wir gingen unten durch das schmale Tal, und das Haus schien weit weg, aber es schien ein großes Haus zu sein, weiß getüncht, und vor dem Haus stand sie und winkte uns zu.

»Was sagen Sie?« rief sie zurück.

»Daß wir vom Essen kommen. Wir hatten Bohnen und Speck – de lard – und pommes de terre – Kartoffeln.«

»Ich verstehe Sie nicht«, rief sie.

»Komm jetzt endlich«, sagten wir.

24. DEZEMBER

Immer am 24. Dezember, immer um vier Uhr nachmittags, treffen sich Otto und Peter im Restaurant »Rössli«. Das war zwanzig Jahre so etwas wie ein Zufall, aber letztes Jahr sagte Peter, daß er leider nicht kommen könne, weil er ausnahmsweise für das Kochen des Rollschinklis verantwortlich sei, und dieses Rollschinkli habe eine Kochdauer von fast zwei Stunden, und um sieben sei die Familie versammelt. Da sagte Otto: »Aber das ist doch eine Tradition, daß wir uns treffen am 24. Dezember um vier Uhr.« Seither ist der Zufall eine Tradition.

Am 24. Dezember um vier Uhr holt Franz Brunner seine Jagdflinte aus dem Schrank. Schon seit über dreißig Jahren holt er am 24. Dezember seine Jagdflinte aus dem Schrank. Nicht eigentlich, um sie zu putzen, vielmehr, um sie zu streicheln. Das Entfernen des Laufs und das Siebeln des Laufs ist unwichtig und nur eine Gewohnheit. Viel wichtiger ist das Polieren der kleinen Silberbeschläge am Schaft. Am 24. Dezember streichelt Franz Brunner die Silberbeschläge seiner Jagdflinte. Franz ist sonst kein zärtlicher Mensch.

Am 24. Dezember bestellen Otto und Peter im Rössli einen halben Roten. Sie treffen sich oft im Rössli, jede Woche dreimal. Aber am 24. Dezember ist es etwas anderes, ist es eine Tradition.

Am 24. Dezember um vier Uhr holt Walter Binswanger seine Schuhschachtel aus dem Kasten, wie immer am 24. Dezember. Bevor er sie öffnet, streichelt er sie. Walter Binswanger ist sonst kein zärtlicher Mensch.

Am 24. Dezember gegen vier Uhr rennt Fritz zum Einkaufszentrum. Er hatte, wie immer, gesagt, daß ihm kein Weihnachtsbaum ins Haus komme. Um vier Uhr schließen die Läden. Nun rennt er doch noch. Jahr für Jahr überrascht er seine Frau damit, daß er doch einen Weihnachtsbaum bringt. Fritz kauft sonst nie im Zentrum, er findet das Zentrum scheußlich. Fritz mag das Wort »Blautanne«, das klingt so schön. Sonst mag Fritz wenig.

Um vier Uhr zwanzig bestellen Otto und Peter einen zweiten Halben.

Um vier Uhr zwanzig zündet Franz Brunner eine Zigarette an. Es ist die erste in diesem Monat. Franz Brunner raucht im Dezember nie, er beginnt erst wieder an Weihnachten. Barbara Brunner, seine Frau, freut sich, wenn er wieder raucht. Er war nicht auszuhalten. Die Flinte strahlt.

Weil sich Otto und Peter gut kennen, wissen sie heute nicht, über was sie sprechen sollen. Man kann jetzt nicht über irgend etwas sprechen.

Walter Binswanger öffnet den Deckel seiner Schuhschachtel. In der Schachtel ist für jeden Mieter eine Karte. Binswanger hat ruhige, anständige und regelmäßige Mieter. Er hat heute nichts einzutragen. Er zählt heute nicht zusammen. Heute freut er sich nur über seinen Besitz, und er spricht die Namen seiner Mieter zärtlich aus: Graber, Leuenberger, Moser, Hürlimann. Frau Binswanger mag ihren Mann wieder, wenn er die Namen seiner Mieter mit den Lippen nachbildet.

Otto und Peter langweilen sich.

Immer am 24. Dezember um halb fünf bringt Fritz der anderen Frau die Alimente. Er bringt sie immer am Ende des Monats, aber im Dezember ist das etwas anderes. Es ist sonst immer ein wenig ärgerlich, im Dezember ist es ein wenig traurig. Es ist traurig, weil Fritz sich ein wenig freut. Er bringt sehr schöne Geschenke mit.

Otto und Peter sind ein wenig nervös. Sie haben heute noch anderes zu tun. Sie bestellen vielleicht doch noch einen letzten Halben.

Franz Brunner raucht seine erste Zigarette ganz bewußt, ab jetzt wird er wieder viel rauchen und ohne Genuß. Das ist eine wunderbare Zigarette am 24. Dezember. Er drückt sie aus, geht zum Schrank und holt die Ordonnanzpistole. Ordonnanz ist ein wunderschönes Wort, denkt Franz. So wie das Wort Ordonnanz klingt, so stellt sich Direktor Brunner das Leben vor.

Otto und Peter.

Nur am 24. Dezember sitzt Binswanger hemdsärmlig hinter seiner Schuhschachtel. In Sachen Mieter hält er nichts von Computern. Daß er das alles von Hand auf weiße Karten schreibt, das hält Binswanger für Menschlichkeit. Walter wäre nicht auszuhalten, sagt seine Frau, wenn er nicht seine Mieter hätte.

Von den Alimenten weiß die Frau von Fritz nichts. Das ist recht so, denkt Fritz. Aber irgendwie trennt es Fritz von seiner Frau. Fritz ist an Weihnachten immer ein wenig allein.

Peter muß jetzt dann wirklich nach Hause, und Otto hat auch noch etwas zu tun.

Immer am 24. Dezember um zwanzig vor fünf sagt Brunner: »Gopfriedstutz«. Brunner flucht sonst viel und laut, aber heute – wie immer am 24. Dezember – sagt er es fast zärtlich. Er sagt es, weil heute – wie immer am 24. Dezember – die Feder vom Verschluß der Ordonnanzpistole wegfliegt. Brunner kriecht unters Kanapee, die Feder liegt Jahr für Jahr immer am selben Ort, eine Handbreit vor dem hinteren rechten Fuß des Kanapees.

Die Mieter mögen Herrn Binswanger nicht. Aber Herr Binswanger legt Wert darauf, daß ihn seine Mieter mögen. Das wissen die Mieter. Herr Binswanger kann sehr förmlich werden, wenn man ihm die Zuneigung verweigert. Aber die Enkel mögen Großvater Binswanger. Das ist Binswangers Weihnacht, daß er gemocht wird von seinen Enkeln.

Es gibt nichts Friedlicheres als eine Jagdflinte, denkt Direktor Brunner. Weihnachten hat für ihn mit Jagd zu tun. Er sagt: Mit dem Wald. Die Ordonnanzpistole, das ist Heimat, sagt Brunner. Er besitzt auch einen Browning. Jahr für Jahr fürchtet sich Frau Brunner davor, daß er auch noch den Browning reinigen und streicheln könnte. Das ist eine schreckliche Vorstellung für Frau Brunner. Aber so ist Brunner nicht.

Um halb sechs legt Peter vorsichtig das Rollschinkli ins Wasser. Bei achtzig Grad zwei Stunden ziehen lassen. Das ist eine Tradition.

Nach der fünften Zigarette wird Brunner schon wieder ein wenig mürrisch.

Nichts Besonderes

Eines Tages ist eine Frau vom Himmel gefallen, sie mag auf dem Ast eines Baumes gesessen haben, und sie fiel in die Arme von Franz Grütter, und er stand da mit einer Frau in den Armen.

Das ist aber nichts Besonderes, sagten alle.

Auch nichts Erfreuliches, sagte ich.

Und Franz Grütter stand da mit einer Frau in den Armen – mit so Haaren, mit so einem Gesicht und so. Und ich frage uns, wie wir diese Geschichte beenden wollen. Aber inzwischen ist sie schon zu Ende, und Franz Grütter steht da und hat eine Frau in den Armen.

HOFFNUNG

»In der Schule«, erzählt Stefan, »haben wir einen sehr kleinen und sehr lustigen Buben. Der hatte ein kleines Büchlein mit sich – so etwa 17 Seiten. Und das Büchlein gab er einem Mädchen, das wir auch in der Schule haben, zum Anschauen. Und dann sagte er: So, und jetzt kriege ich ein Küßchen.«

Erzählt Stefan.

»Ist das nicht eine lustige Geschichte?« sagt Stefan.

Hugo

Habe ich Ihnen schon erzählt, wie still und leise man mit ihm trinken konnte? Habe ich Ihnen schon erzählt, daß er trotzdem morgens um zwei seinen Kopf, seinen runden Sonnenkopf, hob und nein sagte? Habe ich Ihnen schon erzählt, daß ich ihn im Verdacht hatte, daß er Handharmonika spielen konnte, nämlich Schwyzerörgeli, was ein besonders schwer zu spielendes Instrument ist, das, so klein es auch ist, erstaunlich laut Traurigkeit in die Welt hinaus orgelt?

Sollte ich Ihnen das wirklich erzählt haben, vergessen sie es. Es ist nicht wahr. Aber seit er tot ist, erfinde ich Geschichten, das ist mein gutes Recht. Doch sanft und leise wie mit keinem anderen konnte man mit ihm trinken, und einen roten runden Sonnenkopf hatte er auch, und ab und zu – morgens um zwei – hob er diesen Sonnenkopf und sagte leise und trotzig sein Nein.

Doch seine Geschichte ist eine andere.

Er hatte einen Vater, der zur Welt gehörte, der ab und zu heimkam in die Wohnung, wo sie wohnten, aber er gehörte zur Welt, betrieb Import und Export und erzählte am Stammtisch davon. Er hatte eine blinde Tante, die ihm das »Heidi« von Johanna Spyri vorlas, mit ihren Fingern über die Brailleschrift glitt und mit ihren leeren Augen zur Decke schaute. Und er saß da und kicherte in sich hinein, ganz still, so daß sie es nicht hören konnte, und so wurde er leise, und so kriegte er seinen Sonnenkopf, der still in sich hineinlachte. Und er lernte von dieser Tante, die er eigentlich nicht so mochte, weil er sie und ihre Blindheit belächelte, er lernte von ihr, die ihre leeren Augen zur Decke richtete, wenn sie aus dem »Heidi« – zweiter Band: »Heidi kann brauchen, was es gelernt hat« –, er lernte von ihr das Lesen, wenn sie aus dem »Heidi«, die Augen zur Decke gerichtet, vorlas. Nein, er lernte nicht die Brailleschrift. Aber er ging zum Kiosk, kaufte sich John-Kling-Hefte und Rolf Torring und las sie und versuchte dabei dauernd die Augen zur Decke zu richten. Er hatte gelernt – von jener Tante –, nach innen zu lesen und nicht nach außen.

Doch seine Geschichte ist eine andere.

Er wurde, als er aus der Schule kam, ins Engadin geschickt, um das Arbeiten zu lernen – nicht einen Beruf, nur das Arbeiten, und er putzte die Schuhe in einem Hotel. Und so schlimm war das nicht, wenn auch der Portier ihn quälte, denn es gab einen Koch, der ihn mochte und mit dem er sich über John Kling unterhalten konnte. Aber so eine Uniform wie ein Hotelpage, mit einer Käseschachtel auf dem Kopf, wie sich das die zu Hause in Sursee vorgestellt haben mochten, so eine Uniform hatte er nicht. Er wußte auch nicht so recht, was das ist, ein Laborant. Aber er las ein Inserat, daß man das lernen könne in Basel und daß man dort eine Prüfung machen könne, und er setzte sich nachts auf ein gestohlenes Fahrrad und fuhr Richtung Basel, also nordwärts über die Berge. Nach Stunden machte er in Sursee einen Halt, und seine Mutter – er hatte neben Tante und Vater auch eine Mutter, eine gute Mutter – nahm das, daß er kam und wieder ging, demütig hin und dachte, daß es wohl schon recht sei, und sie strich ihm zwei Butterbrote mit Käse und Salami, und er fuhr weiter nach Basel über den unteren Hauenstein, kam rechtzeitig zu jener Fabrik, die Ciba hieß, überraschte die Leute dort mit seinem Wunsch, die Prüfung zu machen, wo er doch gar nicht angemeldet war, und bestand die Prüfung, blieb gleich dort, wurde einquartiert im Lehrlingsheim und dachte erst drei Monate später daran, nach Hause zu schreiben und mitzuteilen, daß er jetzt eine Lehre mache und Laborant werde.

Doch seine Geschichte ist eine andere.

Habe ich Ihnen schon erzählt, wie still und leise man mit ihm trinken konnte? Und ich will Ihnen auch nicht verschweigen, daß aus ihm – selbstverständlich – etwas geworden ist. Denn das ist eine Geschichte, und in Geschichten wird man etwas.

Er könnte zum Beispiel nach seiner Lehre – vier Jahre – die Matura nachgeholt haben, in einem katholischen Internat, er könnte eine Leidenschaft für die uralten Bücher in Pergament entwickelt und dabei an seine Tante gedacht haben, die blinde. Er könnte Fußballschiedsrichter geworden sein, ein Spiel zwischen Real Madrid und dem Hamburger Sportverein geleitet haben, für ein umstrittenes Tor in die Schlagzeilen gekommen sein, oder er könnte nach seiner Lehre nichts anderes mehr getan haben als Fremdsprachen gelernt, Albanisch und Kurdisch und Aramäisch, Haussa und Altslawisch, Gälisch und Katalanisch – Französisch nicht.

Doch seine Geschichte ist das nicht.

Es ist meine Geschichte, ich habe ihn überlebt, und ich sitze jetzt allein in der Kneipe und vermisse in der Stille und im Lärm seine Stille.

Was aus ihm geworden ist? Ein toter Mann, und ich stand an seinem Grab und dachte mir, da unten liegt es, sein Albanisch und sein Gälisch.

Da unten liegt sie, seine Stille, und vermodert.

ABWESENHEIT

Einer erzählt, wie sie ihn erschießen wollten, wie sie ihn fesselten, den Lauf der Pistole an die Schläfe drückten und schrien.

Er lebt, und er erzählt.

Wir leben auch und hören zu.

ERINNERUNG

Er richtet sich auf hinter seinem Bier, hinter dem er lange saß, und sagt: »Nathalie, so hat eine Frau geheißen, die ich liebte.«

Das Positive

»Ja, Sie haben recht«, antwortete der Erzähler, als man ihm vorwarf, er berichte immer nur Negatives über Menschen. »Ja, Sie haben recht«, sagte er, »ich habe vergessen zu erwähnen, daß er ein Auto besaß – gehobene Mittelklasse, in metallisiertem Blau, mit elektrischen Scheibenhebern, Servolenkung und Zentralverriegelung.«

Die Familie

Als er starb – viel zu jung und viel zu früh –, wurde sie Witwe. Das wurde ihr zum Beruf. Er hinterließ ihr eine kleine Rente, einen erwachsenen Sohn, eine erwachsene Tochter, die sich als kleine Kinder noch durchaus vorstellen konnten, aus dieser Ehe hervorgegangen zu sein. Als sie später erfuhren, daß Kinder in Liebe gezeugt werden, fiel ihnen die Vorstellung schwer. Prügel kriegten sie von der Mutter, und der Vater, der den Nörgeleien der Mutter auch ausgesetzt war, war einer der ihren. Er ging nach der Arbeit noch kurz ins Wirtshaus und brachte von dort jenen eigenartigen säuerlichen Geruch mit, mit in die Wohnung, die blitzblank und ohne Geruch war, und der Duft von Maschinenöl hing sanft an seinen Kleidern. Seine Haut – so erinnert sich die Tochter, sicher ungenau – roch leicht nach süßen Äpfeln.

Er hinterließ seiner Frau zwei erwachsene Kinder und den Beruf der Witwe, und sie ließ diesen Beruf auch ins Telefonbuch eintragen, trug stolz zwei Eheringe, den eigenen und den ihres Mannes, und war endlich – was sie eigentlich nie war – verheiratet gewesen, endlich auch mit einem geliebten Mann – mein geliebter Gatte –, mit einem fürsorglichen Vater auch, und sie begann als Witwe die Geschichte einer gutbürgerlichen Ehe zu erfinden, in der es kein Wirtshaus mehr gab und auch kein Maschinenöl mehr. So lebte sie ihr langes weiteres Leben in Trauer und stetem Klagen über den Verlust des geliebten Gatten. Das wußte sie aber so anzustellen, daß sie den Nachbarn immerhin als tapfer erschien. Gestört hat das niemanden, und zu ertragen hatten es nur die Kinder, die sich nicht vorstellen konnten, aus dieser Ehe hervorgegangen zu sein.

Nur einmal – im hohen Alter – sagte sie, und im selben klagenden Ton: »Ich konnte so schön strikken – nur ihm, meinem Mann, habe ich nie Socken gestrickt.« Sie erinnerte sich und begann doch noch zu lieben.

Das gute Ende

Daß er die Augen zukniff, das hatte nur damit zu tun, daß er der Meinung war, er habe stahlblaue Augen. Seither trug er auch einen Schal. Der lag um seine Schultern, wie er glaubte, sommers und winters – und er lag in Wirklichkeit um seinen Hals, im Sommer und im Winter.

Daß man mit zugekniffenen Augen am besten seitwärts und an den Leuten vorbeischaut, das ist für ihn und für uns selbstverständlich, und selbstverständlich auch, daß sein zugekniffenes Lächeln, 45 Grad westlich in unserer Richtung, uns gilt.

Sollen wir nun noch anfügen, um der Geschichte ein gutes Ende zu geben, daß ihm das alles, als er älter wurde, mit fünfundsiebzig, recht gut stand, und daß wir alle stolz darauf waren, es so akzeptiert zu haben?

Nein, das wollen wir nicht.

Der Geiger Karl Zingg

Sein letztes Konzert gab der Geiger Karl Zingg mit zweiundsiebzig Jahren. Die Kritik schonte ihn und sprach eher davon, wie gut er immer gespielt hatte, als davon, wie schlecht er heute spielte. Sein Strich war nicht mehr präzis, und sein Vibrato nicht mehr ganz unter Kontrolle. Zinggs Freunde zitierten ihm aus Kritiken und lobten den großen Erfolg des Konzerts, und Zingg hörte ihnen ohne Interesse zu.

»Ich weiß, was ihr meint«, sagte er, »mein Strich ist nicht mehr präzis, und mein Vibrato nicht mehr gewollt, aber euer Trost ist unnötig, ich bin ein besserer Geiger als je. Ich habe in meinem Leben nichts anderes geschult als mein Gehör. Ich höre es heute besser als je. Ich weiß zwar, daß niemand verlangen kann, daß die Leute hören, was ich höre. Allerdings waren gute Geiger immer jene, die hören können, und ein guter Zuhörer war immer einer, der nicht nur hören kann, was er selbst hört, sondern der auch das Hören des Geigers mithört. Ich habe noch nie so gut gespielt wie gestern, es war nur nicht hörbar.«

Immer wieder Weisshaupt

Das ist die Geschichte von Albert Weisshaupt, der 1969, aus dem Gefängnis kommend, seine Freundin besuchen wollte und auf den Friedhof geführt wurde, dort lag sie.

Nach eigener Aussage weinte er hier, vierundfünfzig Jahre alt, zum ersten Mal in seinem Leben. Schön war die Freundin nicht und eine unter vielen, aber Albert Weisshaupt hatte eine Neigung zum Weinen.

Nach eigener Aussage hatte Weisshaupt mit einem raffinierten Trick als Zweiundzwanzigjähriger einige hundert Franken ergaunert. (Er füllte Pappschachteln mit nassem Sägemehl, verpackte sie in makellos neues Packpapier, wartete vor Arzthäusern – denn Ärzte sind wohlhabend, dachte er sich, und haben ein Dienstmädchen –, wartete also vor Arzthäusern, bis die Frau des Arztes mit dem Dackel, Pudel oder Setter aus dem Haus kam, ging dann hin, drückte auf die Hausglocke und sagte, wenn das Dienstmädchen kam: »Die Wäsche« – »d'Wösch«, und kassierte gegen Quittung einen Betrag von gegen zwanzig Franken.) Nach eigener Aussage schämte sich Albert Weisshaupt im Jahre 1937, und nach Aussage des

Staatsanwalts war seine Tat ruchlos. Sein Verteidiger wies darauf hin, daß Albert ohne Eltern aufgewachsen sei, seine Jugend bei Bauern und in Erziehungsheimen verbracht habe, eine freudlose Jugend, und bat das Gericht um Milde. Im Jahre 1938 saß er seine ersten acht Monate. Dann saß er als ehemaliger Legionär, dann als Schläger, Körperverletzung, er weiß nicht, wie das Eisenrohr in seine Hand kam, dann wieder, dann wieder.

Im Februar 1970 holte ihn die Polizei morgens um fünf aus dem Bett. Weisshaupt hatte im »Bären« beobachtet, wie ein Dieb einem Hehler ein gestohlenes Tonbandgerät verkaufte (immer wieder Tonbandgeräte). Weisshaupt war Zeuge.

Im Mai 1970 die Verhandlung. Weisshaupt bekommt eine Vorladung. Weisshaupt ist Zeuge – dunkler Anzug, weißes Hemd, diskrete Krawatte.

»Immer wieder Weisshaupt«, sagte der Richter, und er drohte ihm, ihn, Weisshaupt, unter Vormundschaft zu stellen, wenn er ihn, Weisshaupt, hier noch mal sehe. Dies zum Zeugen Weisshaupt, dem es endlich gelang, im Gerichtsprotokoll ohne die Worte »nach seiner eigenen Aussage« zu stehen. Der Richter, seit dreißig Jahren im Amt, hatte genug von Weisshaupt – immer wieder Weisshaupt.

Und Weisshaupt weinte, als er das Gericht verließ.

Nach seiner eigenen Aussage weinte er zum ersten Mal seit fünfundfünfzig Jahren. Weisshaupt weint immer zum ersten Mal, denn ihm, der eine Neigung zum Weinen hat, wurde beigebracht, nicht zu weinen. Dies wurde ihm beigebracht von einem frommen Emmentaler Bauern, der ihn, wenn er sonntags von der Kirche kam, an eine Säule band und auspeitschte, weil, so sagte er, der Heiland auch leiden mußte.

Und Weisshaupt schlägt, wenn man ihn berührt. Weisshaupt weint nicht, wenn man ihn schlägt. Weisshaupt hat gelernt, nicht zu weinen.

Als er, der seine Chance beim Bauern im Emmental verpaßte – der Bauer, ein ruhiger Bürger, der nie ins Wirtshaus ging –, als Albert Weisshaupt 1930 in die Erziehungsanstalt kam, wurde er von den Zöglingen gezwungen, sich auf den Tisch zu stellen und zu onanieren. Dafür, daß er es nicht tat – vorerst nicht – wurde er vom Wärter verprügelt, denn die Zöglinge verklagten ihn für etwas, was er nicht getan hatte, oder für etwas, was er getan hatte, oder für etwas, was andere getan hatten.

Das hat er inzwischen vergessen, aber 1931 gab es nicht viele Lehrstellen. Weisshaupt fand eine. Er schrieb aus der Anstalt – und heimlich – einem Kaminfeger, von ihm weiß er heute noch Name und Adresse. Aber der Vormund hatte Albert Weisshaupt begreiflich gemacht – ein Vormund mit weicher, dunkler Stimme und mit Verständnis –, daß heute, wo die Lehrstellen doch selten, er vielleicht doch besser dem anderen, der Eltern habe – einen Vater habe, hatte der Vormund gesagt –, die Stelle überlassen solle. Das begriff Albert, weil er gelernt hatte, zu begreifen, und er verzichtete.

Nun hat eine seiner Narben einen Namen – Fritz Glauser, Kaminfegermeister. Und Albert Weisshaupt ist vierzig Jahre älter geworden und hat überlebt. Und hat überlebt.

Und hat überlebt.

Nun fragt er – betrunken –, warum haben sie mich nicht umgebracht? Warum sind die Leute so?

Doch Albert Weisshaupt, der Richter weiß es, hält es in keiner Stelle lange aus. Und Weisshaupt schlägt, wenn man ihn berührt.

DER ERZÄHLER

Ein Erzähler auf dem Markte von – auf welchen Märkten sind diese Erzähler? Auf dem Markte von Bagdad wohl nicht mehr –, ein Erzähler also erzählte Geschichten, und die Leute lachten und schlugen sich auf die Schenkel. Da fragte ihn ein Kind, das nicht lachte, ob er lieber lustige oder traurige Geschichten erzähle. Er fuhr sich lange mit dem Finger über die Nase und sagte dann: »Wenn ich es unterscheiden könnte, dann möchte ich lieber traurige erzählen.«

Abenteuer

Einmal in seinem Leben – er war schon 47 – stolperte er mitten am Tag, mitten in der Stadt. Irgendwie unterschätzte er die Höhe des Trottoirrandes. Anfänglich bestand der Verdacht, daß der Mittelhandknochen gebrochen sei.

WIE ERWACHSENE

Als sie sich nach zwanzig Jahren wieder trafen, erzählten sie sich die Geschichten von damals und ließen sich vom ehemaligen Lehrer durchs Heimatmuseum führen, das sie an nichts erinnerte.

Als sie sich nach dreißig Jahren wieder trafen, erzählten sie sich dieselben Geschichten, als hätten sie inzwischen nicht gelebt. Sie ließen sich durch das neue Heimatmuseum führen, verschränkten die Arme vor der Brust und nickten wie Erwachsene.

Als sie sich nach vierzig Jahren wieder trafen, fehlten zwei.

ERFAHRUNG

Eines Tages, ein bißchen älter geworden, weigerten sich die Kinder, die Großmutter zu besuchen, und sie taten es von da weg – überredet dazu – nur ungern.

Eines Tages – ein bißchen älter geworden – setzte sich die Großmutter und sagte: »Hätten es meine Kinder doch so gut gehabt wie meine Enkel.«

»Mit wem?« fragte man sie.

»Mit mir«, sagte sie.

SORGLOSIGKEIT

Später begann er dann zu träumen, daß an seinem linken Unterschenkel Bäumchen wachsen, und als er erwachte, war er erstaunt darüber, daß ihm das selbstverständlich war und daß er im Traum nicht im Traum daran dachte, einen Arzt zu konsultieren, daß er sich keine Sorgen machte wegen irgendwelcher Umständlichkeiten.

Träume haben die Art, so zu tun, als seien sie nicht zum ersten Mal geträumt, und sie haben die Art, sich als Träume zu deklarieren, das macht sie sanft. Alles, was er träumte, war schon einmal geträumt.

Es war also nicht so, daß er die Bäumchen entsetzt entdeckte, sondern eher, daß er sich nach langem an sie erinnerte: zwei Bäumchen mit je zwei grünen Blättchen. Sie waren, so schien es ihm, in den letzten Wochen und Jahren kaum gewachsen – Eichen, sehrwahrscheinlich. Und als er erwachte, war er entsetzt darüber, daß es ihn nicht erschreckte.

MANN MIT HUT –
EIN NACHWORT

Daß einer nicht sehr groß gewesen sei, ein gerötetes Gesicht gehabt habe, einen Hut und einen grauen Regenmantel – grauer Hut – getragen habe, aufgeregt hin und her gegangen sei, das ist nun allerdings noch keine Beschreibung eines Menschen, und erzählenswert ist es auch nicht. Trotzdem erinnert mich diese Beschreibung an jenen Mann, der im Port Authority – im Busbahnhof von New York – aufgeregt auf und ab ging, einen grauen Hut und einen grauen Regenmantel trug, bis zum obersten Knopf geschlossen, klein war, ein gerötetes Gesicht hatte, ein kleines rundes Gesicht und, unpassend zu seinem aufgeregten Aufundabgehen, recht angenehme Augen, intelligent bis pfiffig und fast ein wenig liebevoll.

Wie ich dem anderen erkläre, daß der, den er eben beschrieben habe, mich an einen anderen, den ich im Port Authority vor Jahren gesehen habe, erinnere, wird der andere ungehalten, denn er weiß mit meiner Geschichte, die keine ist, nichts anzufangen.

Aber wir sitzen nun einmal da und haben, weil wir uns fremd sind, miteinander zu sprechen, also irgend etwas zu sagen. Und wenn ich nun sage, daß wir die gleiche oder ähnliche Sprache sprechen, dann ist auch das nicht erwähnenswert, denn es ist die übliche Sprache dieser Gegend. Und bereits erklärt er, daß wir verschiedene Sprachen sprechen. Damit meint er, daß sein Mann mit Hut nicht mein Mann mit Hut sei, und ich erinnere mich, wie sehr es mich immer ärgert, wenn Leute während des Essens vom Essen sprechen, also während des Essens von Nudeln von anderen Nudeln, die sie gegessen haben wollen. So sehe ich ein, daß ich nicht – nachdem der andere von einem Mann mit Hut erzählt – von meinem Mann mit Hut sprechen kann, denn letztlich machen Hüte Männer noch lange nicht gleich.

Wir könnten uns nun gütlich einigen und uns gegenseitig vorschlagen, auf den jeweiligen Hut zu verzichten – er auf seinen, ich auf meinen –, nämlich er auf den Hut des Mannes, den er kürzlich gesehen hat, ich auf den Hut des Mannes, den ich vor langer Zeit gesehen habe. Nur trug meiner einen Hut, einen grauen Hut, und der oberste Knopf seines Regenmantels war zu.

»Sie erzählen mir«, sagte ich, »eine Geschichte, die keine ist, und ich würde mich für Ihre Geschichte nicht interessieren, wenn sie mich nicht an jenen Mann erinnern würde, der vor Jahren im Port Authority auf und ab gegangen ist.«

»Wäre meiner stehengeblieben«, sagte er, »hätte seinen Hut in die Hand genommen und hätte gar nichts getan. Wäre also nicht aufgeregt hin und her gelaufen, dann hätten Sie mit Ihrer amerikanischen Geschichte nicht die geringste Chance, denn Sie könnten ja nicht sagen, daß Sie mein Mann, der nichts, gar nichts getan hat, an einen anderen Mann in Amerika erinnert, der auch nichts getan hat.«

»Hat Ihr Mann nichts getan?« fragte ich, und er beugte sich über den Tisch, legte mir die Hand auf die Schulter und sagte: »Warum fürchten Sie sich davor, daß meiner nichts getan hat. Sie haben ja noch den Ihren, der etwas getan hat in Amerika.«
»Was hat er getan?«
»Er ist aufgeregt auf und ab gegangen«, sagte er, und schon erzählte er meine Geschichte. »Ihr Mann in New York«, sagte er, »ging also aufgeregt auf und ab und quatschte alle Leute an und sagte: Sprechen Sie Deutsch?«

»Und Ihr Mann? Was sagte Ihr Mann?« fragte ich, und er sagte: »Meiner bewegte sich nicht. Das war Ihr Mann, der sich bewegte. Meiner stand in der Sonne, hielt seinen Hut in der Hand und ...«

»Und was sagte er? Hören Sie, ich werde Ihrer Geschichte über meinen Mann in Amerika nicht weiter zuhören, wenn Sie nicht bereit sind, mir zu sagen, was Ihr Mann hier in Europa – stehend oder gehend – gesagt hat.«

Jetzt war er plötzlich doch daran interessiert, mir die Geschichte meines Mannes erzählen zu dürfen, und er war nun doch bereit, für seinen Mann, an dem er offensichtlich bereits sein ganzes Interesse verloren hatte, einen Satz – einen dürftigen zwar – zu erfinden. »Meiner stand da«, sagte er, »stand in der Sonne, den Hut in der Hand – in der Wintersonne übrigens mit Regenmantel, zugeknöpft –, und er sagte, er sagte vielleicht: Ich mag kein Deutsch mehr hören.«

»Wenn Sie eine Geschichte erzählen wollen«, sagte ich ihm, »dann lassen Sie das mit dem ›vielleicht‹ – entweder er hat es gesagt oder er hat es nicht gesagt.«

»Spricht denn hier keiner, keiner nicht Deutsch, hat er gesagt, mein Mann mit Hut, mit Hut in der Hand«, sagte er, lehnte sich in seinem Stuhl zurück, sagte lange nichts mehr und genoß es, daß sein Mann endlich etwas gesagt hatte. Und nun war wieder meiner nichts mehr. Ich meine, nun war wieder meiner kein Mann mit einer Geschichte.

»Ihr Mann«, sagte er nun, »erinnert mich so sehr an meinen, wie mein Mann Sie an Ihren erinnert hat.« Er streckte seine Hand über den Tisch, und ich versuchte, nun auch etwas Freundliches zu sagen: »Der Satz Ihres Mannes scheint mir aber nun doch wesentlich interessanter zu sein. Meiner sagt nur: Sprechen Sie Deutsch? Ihrer sagt: Spricht denn hier keiner nicht Deutsch.« Und er legte seine Hand auf meine und sagte: »Was soll's, entweder ist die Geschichte wahr, dann ist es nicht Ihre – und wenn sie nur erfunden wäre, die Geschichte von Ihrem Mann in Amerika, der aufgeregt auf und ab geht –, wenn sie nur erfunden wäre, dann wäre das doch ein wenig zu wenig, um nur erfunden zu werden. Also ist Ihre Geschichte wahr. Ihr Mann bewegt sich hin und her. Das genügt.«

»Ich habe aber nur einen Mann gesehen, der sich ein wenig aufregte und ein wenig auf und ab ging, und ich staune, daß ich mich überhaupt noch an ihn erinnere – das ist Jahre her, sage ich Ihnen«, sagte ich.

Und er sagte: »Wäre es keine Geschichte – nur eben ein Mann –, Sie würden sich nicht erinnern. Man erinnert sich nur an Geschichten, und er wäre Ihnen nicht aufgefallen, hätte er keine gehabt. Ihr Mann und mein Mann sind dieselben. Der eine geht ein bißchen hin und her, der andere geht ein bißchen auf und ab. Und beide fallen uns auf – nur weil sie eine Geschichte haben, die wir nicht kennen. Ihr Mann also quatscht alle Leute an und fragt sie – mitten in New York: Sprechen Sie Deutsch? Was haben Sie denn gesagt, als er Sie anquatschte?«

»Als er auf mich zukam, kannte ich seine Frage bereits, weil ich ihn ja eben dauernd aufgeregt herumgehen sah und hörte, wie er alle fragte, ob sie Deutsch sprechen. Ich war also mit der Frage schon über eine Stunde konfrontiert, und ich hatte auch damit zu rechnen, daß er mich früher oder später ansprechen würde. Also beschäftigte ich mich schon eine gute Stunde lang mit der Antwort. Das Ja, das mir anfangs und spontan leicht gefallen wäre, war – nachdem ich ihn dauernd fragen gehört habe – nicht mehr die richtige Antwort, denn die Frage ist doch in der Regel die Frage an einen, der Deutsch als Fremdsprache spricht. Ich aber – muß ich Ihnen sagen – spreche ausschließlich Deutsch, und die Antwort, die ich mir zurechtgelegt hatte nach langem Überlegen und Zögern, war nun: ›Ja, schon‹, was aber insofern keine brauchbare Antwort war, da sie ja doch wieder darauf hätte schließen lassen, daß ich Deutsch als Fremdsprache spreche, wo ich doch keine andere Sprache spreche als Deutsch.«

»Und was haben Sie denn gesagt, als er auf Sie zukam?« fragte er. Ich mußte ihn nun doch endlich darauf aufmerksam machen, daß nicht ich, sondern er von einem Mann gesprochen hatte, der aufgeregt auf und ab gegangen war – mit Hut –, und daß ich mit meiner Bemerkung, daß ich eben einen solchen Mann auch vor Jahren im Port Authority in New York hätte auf und ab gehen sehen, nur hätte sagen wollen, daß es eben solche Männer und eben solche Geschichten gäbe, und daß er nun endlich mit seiner Geschichte fortfahren möge und nicht den Versuch machen solle, aus eben meiner Zwischenbemerkung, die keineswegs eine Geschichte sei, eben eine Geschichte zu machen. Er sei der Erzähler, ich wolle der Zuhörer sein – ein guter Zuhörer auch, der mit seiner Bemerkung, daß er auch einmal einen solchen gesehen habe im Port Authority in New York, nichts anderes habe sagen wollen, als daß seine Geschichte glaubhaft sei. »Nur möchte ich noch wissen«, sagte ich, »wann Ihr Mann morgens aufsteht, ob er einen Beruf hat, sich die Zähne putzt, ob er trinkt, wann, wieviel, verheiratet ist, ob ihm irgend etwas passiert?«

»Er steht um sieben auf, er kommt aus dem Haus, Ende November, sieht, was er noch nie gesehen hat, wie auf dem Dachfirst des Nachbarhauses die Tauben sitzen. Das jedenfalls ist in seinem Leben passiert, daß er die Tauben auf dem Dachfirst des Nachbarhauses hat sitzen sehen und daß ihm dabei hätte einfallen sein können, daß die Tauben Zugvögel sind, die sich Jahr für Jahr im November versammeln – auf Dachfirsten zum Beispiel – und beschließen, nicht zu fliegen, daß sie aber noch nie endgültig beschlossen haben, nicht mehr zu fliegen, wobei er, mein Mann, sehr lange jenen Großvater suchen könnte, der ihm erzählt hätte, wie das war, als die Tauben noch flogen. Trotzdem, die Tauben haben nicht etwa die Absicht, nie mehr zu fliegen. Sie fliegen immer nur gerade in diesem Jahr nicht. Matrosen übrigens halten Tauben für Zugvögel.«

»Sind Sie mit ihm verwandt?« frage ich – und ich weiß, während ich frage, daß er es nicht ist. Aber wäre er es, ich könnte jetzt aufstehen und sagen, daß es Zeit sei, und ich könnte nach Hause gehen. Er würde sich dafür bedanken, herzlich bedanken, daß ich hier als Fremder mit ihm gewartet hätte, und er würde verstehen, daß ich jetzt – es ist morgens um drei – gehen möchte oder zu gehen habe und nicht hier warten kann, bis er stirbt. Vielleicht stirbt er erst nächste Nacht oder übernächste Nacht.

»Mir wäre es auch lieb«, sagte er, »wenn Sie mit ihm verwandt wären, aber ich weiß, daß Sie es nicht sind, wir sind es beide nicht. Ich habe ihn vor drei Wochen gesehen, mit jenem Mantel und jenem Hut, in der Kneipe, im »Steinbock«, und er hat mir gesagt, daß er operiert werde und daß er sterben werde, und ich habe ihm gesagt, daß er gut aussehe – was er nicht tat – und daß ich ihn besuchen werde, und nun sitze ich da, und er stirbt. Und wir sind nicht verwandt. Jemand wird für die Beseitigung der Leiche verantwortlich sein.«

Der Krankenwärter spricht leise mit uns, er hält uns für Verwandte, wir sitzen mit drin.

»Als mein Vater starb«, sagte ich, »war das gar nicht so schlimm. Ich hatte mich als Kind schon davor gefürchtet, dereinst meine Eltern beerdigen zu müssen, es wäre mir schon als Kind recht gewesen, vor ihnen zu sterben, eigentlich nur, weil mir die Techniken des Beerdigens unbekannt waren. Und als er dann starb, sagte ich mir, daß bis jetzt eigentlich alle begraben worden sind, daß das irgendwie geregelt und geordnet ist, und so war es denn auch. Ich kondoliere, sagt der Beamte auf dem Amt, sagt die Frau von der Zeitung, wenn man die Todesanzeige aufgibt. Ich habe Ihren Vater gut gekannt, sagt sie. Ein freundlicher Herr, sagt sie.«

Es gibt beleidigend wenig zu tun, einen Menschen zu begraben.

»Meine Mutter mochte ich sehr«, sagte er, »ich saß hier, in diesem Zimmer, als sie starb. Ich saß hier und rauchte Zigaretten, und mein Vater rannte hin und her, und dann kam er und sagte: Jetzt stirbt sie. Und dann bin ich mit ihm zurückgerannt, und dann tat sie einen großen Schnauf, und dann sagte mein Vater: Jetzt ist sie tot. Und dann diskutierten wir darüber, ob sie nun tot sei oder nicht, und dann haben wir die Nachtschwester gerufen, und später kam ein junger Arzt, der

hat ihr mit einer Taschenlampe in die Augen ge-
leuchtet, und dann hat er gesagt: Ich kondoliere.
Ich war damals froh, daß ich meine Mutter liebte.
Ich habe nie geheiratet. Ich habe schon Frauen gekannt, aber ich habe nie geheiratet. Ich habe immer darüber nachgedacht, ob ich traurig sein
könnte, wenn sie sterben.«

»Er hat mich«, sagte ich, »an jenen Mann erinnert, der vor vielen Jahren im Port Authority aufgeregt auf und ab gegangen ist. Das ist alles. Ich
weiß nicht, warum ich ihn hier besuche. Aber jener im Port Authority hat sich in mein Gedächtnis
eingenistet, ein Mann in Mantel und Hut, der auf
und ab geht. Ich werde ihn nie mehr irgendwo fin-
den. Ich werde nie auf ihn zugehen können und
sagen, sind Sie nicht der Mann, der vor Jahren im
Port Authority auf und ab gegangen ist? Trotzdem, der Mann ist in meinem Kopf. Ich habe –
ohne ihn zu kennen – etwas zu tun mit ihm. Er ist
eine Geschichte, ohne daß ich seine Geschichte
kenne.«

Jedesmal, wenn der Krankenwärter an der Glastür vorbeiging, lächelte er uns zu, und das Lächeln
bezog sich auf unsere Zigaretten, eine dauernd
wiederholte Bestätigung der Ausnahmebewilli-
gung für Angehörige Sterbender. Und eigentlich

nur um das Rauchen zu unterbrechen, waren wir in den letzten Stunden immer wieder den Gang entlanggegangen, hatten uns vor das Bett gestellt, in dem jener Sterbende bewußtlos lag, und hätte er keinen Namen gehabt, den wir zufällig und unabhängig voneinander kannten, Albert Moser, und den wir uns beide ohne Grund gemerkt hatten, wir hätten keinen Anlaß gehabt anzunehmen, daß wir diesen Menschen schon einmal irgendwo gesehen haben könnten. Wäre ich allein hier gewesen, ich wäre schon längst gegangen.

Mehr und mehr gelang es uns auch, nicht zu reden – fünf Minuten, zehn Minuten, eine halbe Stunde. Albert Moser wußte nichts davon, daß hier zwei auf seinen Tod warteten, zwei, die er nicht gekannt hatte. Und erst jetzt, nach Stunden, kam der Satz: »Ich mag den Geruch von Spitälern nicht«, ein unvermeidlicher Satz, der immer erst dann fällt, wenn es nach gar nichts mehr riecht, wenn die Geruchlosigkeit an Gerüche erinnert, die Hutlosigkeit an Hüte, die Sprachlosigkeit an Sprache.

»Wir waren neun Kinder«, sagte er nun, »ich der zweitälteste, drei Brüder, fünf Schwestern, der Vater war Hilfsarbeiter.«

Ich wußte schon, was ich jetzt zu sagen gehabt hätte. Ich hätte erstaunt sein müssen. Ich hätte wissen müssen, daß er es schwer gehabt hatte. Aber ich sagte nichts und wartete auf den Satz: »Ich könnte Ihnen Geschichten erzählen.« Leute, die aus der Armut kommen, leben ein Leben lang in der Vorstellung, sie könnten Geschichten erzählen. »Mein Leben würde Bücher füllen«, sagte er. »Sie waren also in Amerika«, sagte er.

Vielleicht werden wir auch zu seiner Beerdigung gehen, dachte ich. Wir werden hinterher in den »Steinbock« gehen, einen halben Roten trinken und sagen: »Vierundsiebzig war er also, aus dem Bernbiet kam er also.« Und er wird dann sagen: »Wir waren neun Kinder.«

»Alle haben eine Lehre gemacht. Es ist etwas geworden aus uns. Ich habe einen kleinen Betrieb mit vierzehn Angestellten. Umwelttechnik, es hat keinen Sinn, daß ich ihnen das erkläre, es ist zu kompliziert. Aber ich habe es geschafft.« »Was sind Sie von Beruf«, fragte er.
»Schriftsteller«, sagte ich.
»Aha« sagte er. »Ich hatte Streit mit meinem Partner. Er macht das Kaufmännische, hat keine Ahnung von Technik. Er trinkt auch nichts, kein fröhlicher Mensch. Um fünf war ich im Büro, um

neun bin ich abgehauen, muß ja auch mal sein. Schriftsteller, sagen Sie, ich könnte Ihnen erzählen. Das ist eine lange Geschichte, neun Geschwister, Kinderheim, Lehre. Vierzehn Angestellte wollen auch bezahlt sein. Ich bin zum zweiten Mal verheiratet. Meine erste Frau war meinen Kindern eine gute Mutter. Das müßten Sie mal aufschreiben, das würde ein Bestseller, und dann auch das, wie diese Liebe wurde mit meiner damaligen Sekretärin. Als junger Techniker war ich im Irak, Kraftwerkbau, das müßte man mal aufschreiben. Ich kann dir sagen, dort ist alles ganz anders, die nehmen zum Beispiel beim Autofahren keine Rücksicht auf Fußgänger, dort fahren sie einfach Auto. Ich bin nicht einer, sag' ich dir, der die Zeit hat, hier zu sitzen. Ich hatte Ärger mit meinem Partner, ich ging von einer Kneipe zur anderen, ich war im »Steinbock«, und da erzählten sie von Albert, der im Spital sei, und da kaufte ich mir zwei Flaschen Wein und wollte ihn besuchen. So bin ich, ich bin zwar Unternehmer, aber so bin ich.«

»Ich auch«, sagte ich, »ich habe auch zwei Flaschen Wein gekauft und wollte ihn besuchen, und dann sagtest du, daß wir ja eine Zigarette rauchen könnten, vorn im Wartezimmer, und dann hat der Pfleger Tee gebracht und leise mit uns gesprochen.

Dann müßte ja noch eine Flasche in seinem Zimmer sein, die braucht er jetzt nicht mehr.«

Der Pfleger öffnete die Glastür und sagte: »Ich kondoliere.« »Dann können wir ja gehen«, sagten wir. Als er uns aufforderte, doch noch zu warten, bis der Arzt hier sei und bis das Zimmer zurechtgemacht sei, sagte Josef, so hieß er, Josef: »Wir kennen ihn nicht, wir wissen nur, daß er Albert Moser heißt, und auch das wissen wir nur zufällig.«

Als ich nach Hause kam, wurde es bereits hell, ich setzte mich an meinen Tisch, nahm einen Zettel und schrieb darauf: »Mann mit Hut stirbt – 24. Dezember.«

Am anderen Morgen zerknüllte ich den Zettel und warf ihn weg.

INHALT

26,-

10u 3'43